D0513874

Sanne in de selectie

Van Paula van Manen zijn verschenen:

Sanne turnt zich naar de top
Sanne gaat voor goud
Sanne steelt de show
Sanne op zomerkamp
Sanne in de selectie

Paula van Manen

*S*anne in de selectie

De Fontein

STICHTING NEDERLANDSE
KINDERJURY
2007

© 2006 Paula van Manen
Voor deze uitgave:
© 2006 Uitgeverij De Fontein, Baarn
Omslagillustratie: Joyce van Oorschot
Omslagontwerp: Rob Galema
Zetwerk: v3-Services, Baarn

ISBN 90 261 3172 0
NUR 283

Inhoud

1
Het gastgezin

'Heb je alles?' Jordi keek naar de roodgeruite koffer.

'Volgens mij wel.' Sanne deed de koffer dicht en zette hem op de grond. Ze was er helemaal klaar voor. Vandaag zou ze eindelijk naar haar gastgezin gaan. En dat werd hoog tijd, want het nieuwe schooljaar was allang begonnen. Haar ouders hadden niet op tijd een geschikt gastgezin voor haar kunnen vinden. Daarom was ze na de zomervakantie gewoon weer naar haar oude basisschool gegaan. Haar klasgenoten waren heel verbaasd geweest, want voor de vakantie had ze al afscheid van hen genomen. Ook was ze weer naar de turnlessen van juf Gerrie gegaan. Dat had ze helemaal niet erg gevonden, want met haar turnvriendinnen was het altijd erg gezellig.

Toch verheugde ze zich op haar nieuwe leven in Zoetmegen. Het gastgezin woonde in een groot huis aan de rand van de stad. Ze hoefde maar tien minuten te fietsen om bij de turnzaal te komen. Ze wilde graag trainen in deze prachtige zaal. Meneer Verkerk, de hoofdtrainer, kende ze al. Hij was bijna net zo aardig als juf Gerrie.

Jordi opende zijn rugtas. 'Ik heb nog iets voor je.'

Verrast keek Sanne naar het rode pakje. Met snelle bewegingen scheurde ze het glimmende papier los. 'Ooo... wat mooi!' Verrukt keek ze naar het zilveren kettinkje. 'Echt super!'

Jordi haalde opgelucht adem. Hij had lang getwijfeld wat hij voor haar zou kopen. Uiteindelijk had hij voor het kettinkje met de hartjes gekozen.

Sanne sloeg haar armen om hem heen. 'Hartstikke bedankt! Ik ga het elke dag dragen, dat beloof ik je!'

Twee maanden had ze nu verkering met Jordi. Eigenlijk was ze al veel langer verliefd op haar buurjongen geweest, maar door het vele turnen had ze weinig tijd voor hem gehad. Daarom had Jordi uiteindelijk voor Evelien, een meisje uit hun klas, gekozen. O, wat was ze daar verdrietig over geweest! Vlak voor de zomervakantie had hij het met Evelien uitgemaakt, en toen bleek dat Jordi zijn buurmeisje nog niet vergeten was. Toen Sanne op zomerkamp was, had hij haar een brief geschreven. Ze hadden daarna lang met elkaar gesproken. Het was een goed gesprek geweest, en sinds die dag hadden ze verkering met elkaar.

'Hé, luister je wel?' Jordi keek geërgerd haar richting uit.

'O, sorry! Zei je wat?'

'Tjonge... waar zit jij met je gedachten?'

Sanne grinnikte. 'Dat raad je nooit.'

'Dan ga ik het ook niet proberen. Maar ik vroeg hoe laat de anderen komen.'

'Over een kwartiertje, denk ik. Echt aardig dat ze me komen uitzwaaien, vind je niet?'

Jordi knikte. 'Jammer dat ik niet met je mee kan. Ik had die mensen van jouw gastgezin best willen zien.'

'Ik vind het ook heel jammer,' zei Sanne. 'Maar er is echt geen plek meer in de auto.'

Tim, het jongere broertje van Sanne, ging wel mee. Hij mocht nog niet alleen thuisblijven. Bovendien vond hij het wel spannend om zijn zus naar een gastgezin te brengen. Ook haar turnvriendin Patty ging mee in de auto. Ze was een jaar ouder dan Sanne en ging dit jaar naar de middelbare school. Net als Sanne was zij door meneer Verkerk uitgekozen om bij hem te komen trainen. Patty had gelukkig wel op tijd een gastgezin gevonden.

Sanne keek op haar horloge. 'Zullen we naar beneden gaan?'

Jordi sprong op. 'Goed plan! Zal ik de koffer dragen?' Zonder haar antwoord af te wachten, tilde hij de koffer op. 'Ik snap niet waarom dat ding zo zwaar is. Je komt zaterdag toch alweer naar huis toe?'

'Ja, maar ik weet niet wat ik aan moet trekken naar m'n nieuwe school. Daarom heb ik er maar van alles ingestopt.'

Grijnzend liep Jordi de trap af. Dat was echt iets voor Sanne!

Even later zaten ze met z'n allen in de huiskamer. Alle turnvriendinnen van Sanne waren gekomen om haar uit te zwaaien: Marieke, Jessie, Mirella, Chantal en Lies.

'Heb je er zin in?' vroeg Mirella.

'Zeker weten!' antwoordde Sanne.

'Ga je morgen al naar de turnzaal?'

Sanne schudde haar hoofd. 'Morgen ga ik voor het eerst naar m'n nieuwe school. Volgende week begin ik pas met de turntrainingen. Dan kan ik eerst wennen aan m'n nieuwe klas en natuurlijk aan m'n gastgezin.'

'Zijn het aardige mensen?' vroeg Jessie.

'Volgens mij wel, maar ik ken ze nog niet zo goed.'

'Het went heel snel,' stelde Patty haar gerust. 'Ik ben nu vier weken bij de familie Fransen, maar het lijkt net alsof ik ze al veel langer ken.'

'Je komt volgende week toch wel bij me langs, hè?' vroeg Sanne.

'Tuurlijk,' antwoordde Patty. 'Ik laat je heus niet stikken.'

Opgelucht nam Sanne nog een slok van haar thee. Ze vond het toch best eng allemaal, maar dat wilde ze natuurlijk niet toegeven. Vanavond zou ze in een vreemd bed slapen. En morgen moest ze naar een nieuwe school toe. Brr... ze wilde er eigenlijk niet te veel aan denken... Gelukkig trainde Patty ook bij meneer Verkerk. Patty was een goede vriendin van haar geworden. Maar Marieke was nog steeds haar allerbeste vriendin. En dat zou zo blijven, dat hadden ze elkaar plechtig beloofd.

Sannes vader stond op. 'We moeten nu echt gaan. Om halfdrie verwacht de familie Berendse ons.'

Terwijl de auto werd ingeladen, namen Sanne en Patty van iedereen afscheid.

'Ik stuur je vanavond een sms'je,' zei Sanne tegen Marieke. 'En we gaan heel vaak msn'en, oké?'

Marieke knikte. 'En als ik niet online ben, dan moet je me een mailtje sturen.'

Sanne knikte. 'Doe ik!'

Als laatste nam ze afscheid van Jordi.

'Ik zal je missen,' fluisterde hij haar toe.

'Ik jou ook. Heel erg zelfs!'

'Ik stuur je elke dag een sms'je,' beloofde Jordi.

Sanne knikte. Ze voelde een brok in haar keel. O... als ze nu maar niet ging huilen.

'Zijn jullie klaar met afscheid nemen?' vroeg Sannes vader.

Tim en Patty stapten alvast in de auto.

'Dag,' zei Sanne.

Jordi sloeg zijn armen om haar heen.

'Zoenen, zoenen!' riep Jessie.

Giechelend keken de vriendinnen toe.

Jordi glimlachte verlegen, maar toen gaf hij haar een paar zoenen.

Er klonk luid gejoel.

Met een rood hoofd stapte Sanne de auto in. Jessie was een leuke meid, maar ze flapte er altijd van alles uit.

Toen de auto zich in beweging zette, begonnen Jordi en het groepje vriendinnen uit alle macht te zwaaien. Ze renden nog een stuk achter de auto aan, totdat deze de hoek om ging.

'Tot zaterdag!' schreeuwde Marieke haar vriendin na. 'Hou je taai, Sanne!'

Vijf kwartier later stonden ze voor de deur van de familie Berendse. Patty was er niet meer bij. Zij was afgezet bij het huis van de familie Fransen. Patty bofte, want zij had het erg getroffen met haar gastouders. Ook met Stef en Leo, de tweelingbroers, kon ze het prima vinden. Sanne hoopte dat haar gastouders ook zo aardig waren. Ze had hen nog maar één keer gezien. Hun dochter Nathalie kende ze nog helemaal niet. Ze wist alleen dat ze dertien was en in de tweede klas van het vmbo zat. Hopelijk kon ze een beetje met haar lachen.

De voordeur zwaaide open.

'Kom binnen,' zei mevrouw Berendse hartelijk. 'De koffie pruttelt al.'

Een beetje onwennig liep Sanne de huiskamer in.

'Ah, daar hebben we onze nieuwe dochter!' Breed lachend liep meneer Berendse op haar af. 'Leuk dat je er bent, Sanne. Ik hoop dat je je hier snel thuis voelt.'

Sanne glimlachte verlegen. Ze zette haar koffer neer en keek de kamer rond. Het zag er gezellig uit. Dat was in elk geval al een goed teken.

'Gaan jullie maar lekker zitten,' hoorde ze mevrouw Berendse zeggen. 'We gaan eerst wat drinken. Daarna zullen we laten zien waar Sanne slaapt.'

'Hopelijk stoppen ze je niet in de schuur,' fluisterde Tim in het oor van zijn zus.

Sanne grijnsde. Slapen in de schuur... Haar broertje had weer eens te veel fantasie!

Tijdens het koffiedrinken waren de grote mensen druk met elkaar in gesprek.

'Zullen we de tuin gaan bekijken?' stelde Tim voor.

Sanne aarzelde. 'Ik weet niet of dat mag.'

Tim was al opgesprongen.

'Willen jullie de tuin in?' Mevrouw Berendse stond op. 'Kom maar mee.'

Tot hun vreugde ontdekten ze buiten een grote vijver. Er groeiden prachtige planten in. Eerst zagen ze maar één vis, maar later doken er meer op. Ze ontdekten ook verschillende vogelhuisjes in de tuin. En achter het schuurtje stond een stenen voederbak voor de vogels.

'Hoe vinden jullie onze vijver?' klonk het opeens.

Ze keken om en zagen meneer Berendse op het tuin-pad staan.

'Gaaf!' riep Tim enthousiast.

'We hebben drie vissen gezien,' vertelde Sanne. 'Hoe-veel zitten er eigenlijk in?'

'Als het goed is zeven, maar ze laten zich niet altijd zien.'

Ze liepen naar de vijver om nog één keer te kijken.

'Lopen jullie mee naar binnen?' vroeg meneer Berend-se. 'We willen jouw kamer even laten zien, Sanne.'

Even later liepen ze achter elkaar de trap op. Sannes kamer was op de eerste etage, naast die van Nathalie.

'Het is eigenlijk onze logeerkamer,' vertelde mevrouw Berendse. 'Maar nu hebben we er een kamer voor Sanne van gemaakt.'

Nieuwsgierig liep Sanne de slaapkamer in. 'Wat mooi!' Ze keek verrast rond. 'Hé, zo'n dekbedovertrek heb ik thuis ook!'

Haar moeder lachte. 'Het is dezelfde. Toen we vorige week hierheen reden, hebben we wat spulletjes van jou meegenomen. Dan is het wat vertrouwder voor je.'

Toen zag Sanne nog meer bekende dingen: een paar knuffels, de verjaardagskalender, een schilderijtje, lees-boeken... Verrast keek ze naar haar gastouders. 'Dat tafel-tje met die stoeltjes vind ik ook hartstikke leuk,' zei ze.

'Die spullen hadden we hier al staan,' vertelde me-vrouw Berendse. 'En dat houten bureautje ook. Het werd alleen nooit gebruikt, vandaar dat het er nog zo nieuw uitziet.'

Vervolgens bekeken ze de rest van het huis.

'Bevalt het je een beetje?' vroeg haar vader, terwijl ze de badkamer in liepen.

'Ja, best wel,' antwoordde Sanne. 'Vooral mijn slaapkamer.'

Nadat ze het hele huis hadden gezien, was de tijd aangebroken om afscheid te nemen.

Sanne omhelsde haar ouders en daarna haar broertje.

'Vanavond bellen we je nog even,' liet haar moeder weten.

Sanne knikte, en ze glimlachte dapper.

'Zaterdag kom je alweer naar huis,' zei Sannes vader om haar op te beuren. 'Die paar dagen zijn zo om, dat zul je zien.'

Gezamenlijk liepen ze naar buiten.

Toen ze de auto weg zag rijden, voelde ze toch even een brok in haar keel. Het liefst was ze mee teruggegaan, maar dat kon natuurlijk niet.

Ze voelde een arm om haar schouder. 'Kom, het is veel te koud om lang buiten te staan.' Mevrouw Berendse nam haar mee naar binnen.

Sanne glimlachte. De gastouders van Patty mochten dan aardig zijn, die van haar waren dat gelukkig ook.

Voldaan keek Sanne naar haar lege koffer. Het uitpakken was snel gegaan. Ze moest alleen nog een plekje vinden voor de fotolijstjes. Op de ene foto stonden haar ouders en Tim. Een halfuurtje geleden had ze hen nog gesproken. Na het telefoongesprek had ze zich een stuk vrolijker gevoeld.

De andere foto was een portret van Jordi. Ze had hem beloofd dat ze zijn foto een mooi plekje zou geven. Ze keek om zich heen. Zou ze de lijstjes op tafel zetten of op het bureau? Ze keek de kamer rond. Of toch maar op het nachtkastje? Uiteindelijk koos ze voor het laatste. Dan stonden de foto's lekker dicht bij haar als ze ging slapen.

'Mag ik binnenkomen?' klonk het vanuit de gang.

'Tuurlijk!'

Nathalie zwaaide de deur open.

'Heb je nu al alles uitgepakt?' vroeg ze verbaasd. 'Dat heb je snel gedaan, zeg.'

Sanne knikte. 'Maar ik heb net ontdekt dat ik één ding ben vergeten.'

'O, wat dan?'

'M'n wekker.'

'Dat is helemaal niet erg,' stelde Nathalie haar gerust. 'Mijn moeder maakt je wel wakker, dat doet ze bij mij ook altijd.'

Opgelucht keek Sanne haar aan. Tijdens het avondeten had ze Nathalie voor het eerst ontmoet. Ze hadden elkaar de hand geschud, maar verder hadden ze nog weinig tegen elkaar gezegd. Na het eten was Nathalie meteen naar boven gegaan. Sanne had dat een beetje vreemd gevonden. Ze had best even met haar willen kletsen. Gelukkig deed Nathalie nu wat vriendelijker.

'Ik ga nog even tv-kijken,' zei Nathalie, en ze liep naar de deur.

'En ik duik m'n bed in. Ik ben hartstikke moe.'

'Nou, slaap lekker dan,' zei Nathalie.

Niet veel later stapte Sanne haar bed in. Ze kroop diep onder haar dekbed, alsof ze daar bescherming onder zocht. Morgen ging ze voor het eerst naar haar nieuwe school. Ze zag er best wel tegenop. Een nieuw gebouw, een nieuwe juf, nieuwe klasgenoten... Heel spannend allemaal! Bovendien wist ze nog steeds niet wat ze aan moest trekken. Stel je voor dat ze het verkeerde uit zou kiezen... De kinderen uit haar klas zouden dan... Langzaam zakte Sanne weg in een diepe slaap. Haar nieuwe bed had ze amper gevoeld.

2

De eerste schooldag

Sanne rekte zich nog eens flink uit. Ze voelde zich niet bepaald uitgerust. Het liefst zou ze nog een paar uurtjes willen slapen, maar dat ging helaas niet. De eerste dag mocht ze natuurlijk niet te laat komen.

Snel aankleden dan maar... Besluiteloos stond ze voor haar kledingkast. Ze wist nog steeds niet wat ze aan moest trekken. Ze pakte haar nieuwe rok uit de kast. Met de bruine laarzen stond die erg leuk. Maar misschien droegen ze hier wel helemaal geen rokken. Zuchtend hing Sanne hem terug. Ze besloot de lichte spijkerbroek aan te trekken. Een spijkerbroek was altijd wel goed, want die droeg bijna iedereen. Vervolgens trok ze de trui aan met al die vrolijke kleurtjes. Het was haar lievelingstrui: hij zat zo lekker.

Terwijl ze haar haren kamde, klonk er gestommel op de trap. 'Je moet er nu echt uit komen,' hoorde ze mevrouw Berendse roepen. De reactie was wat gebrom uit de kamer naast haar.

Sanne grinnikte. Nathalie lag nog in haar bed, dat was wel duidelijk.

'Over tien minuten gaan we aan tafel,' vervolgde mevrouw Berendse. 'Ik verwacht dat jij er dan ook bij bent.'

'Die rotschool ook,' mopperde Nathalie. 'Ik heb vandaag helemaal geen zin.'

'Dan maak je maar zin,' reageerde haar moeder streng. 'Ik ga echt geen briefje schrijven dat je zogenaamd ziek bent.'

Sanne opende haar deur.

'Kijk eens aan,' zei mevrouw Berendse. 'Jij bent zelfs al aangekleed. Heb je lekker geslapen?'

'Eh... gaat wel. Ik ben vannacht twee keer wakker geworden.'

'Dat komt vast van de spanning,' meende mevrouw Berendse. 'Zie je ertegen op om naar je nieuwe school te gaan?'

'Een beetje wel,' gaf Sanne toe. 'Ik ken daar niemand.'

'Je zult zien dat het meevalt. Kom, dan gaan we eerst lekker ontbijten.'

Meneer Berendse was al beneden. 'Dag, Sanne. Jij komt vast op de lekkere geur af.'

Sanne keek naar de warme croissantjes.

'Dat eten we niet elke dag, hoor. Maar omdat het jouw eerste ontbijt bij ons is, heb ik er maar een paar in de oven gestopt.'

'Mijn man dekt elke dag de tafel,' vertelde mevrouw Berendse. 'Maar niet voordat hij de krant heeft gelezen. Hij is altijd als eerste beneden.'

Boven hoorden ze een deur in het slot vallen. 'En Nathalie als laatste,' vulde ze aan. 'Zij kan heel moeilijk haar bed uit komen. Maar zo te horen is het nu gelukt.'

Er stonden inderdaad allemaal lekkere dingen op tafel. Toch kreeg Sanne weinig door haar keel. Meer dan het warme croissantje kreeg ze niet naar binnen.

'Eet je altijd zo weinig?' vroeg Nathalie.

Sanne trok haar schouders op. 'Ik ben niet zo'n grote eter.'

'Dat heb je met die turnsters. Allemaal van die dunne sprieten.'

'Nathalie, doe niet zo onaardig!'

Ze keek haar vader verongelijkt aan. 'Het is toch zo? Ik heb er laatst iets over gelezen. Die topturnsters moeten zich elke dag wegen. En als ze te veel zijn aangekomen, worden ze weggestuurd.'

'Wij hoeven ons maar twee keer per jaar te wegen,' vertelde Sanne.

'Omdat je nu nog jong bent. Als je op de middelbare school zit en je lichaam gaat veranderen, dan zul je allerlei diëten moeten volgen. Wedden?'

Sanne nam nog een slok van haar thee. Ze wist dat Nathalie niet helemaal ongelijk had. Jennifer, haar oudere turnvriendin, moest regelmatig op de weegschaal staan. Haar gewicht werd streng in de gaten gehouden.

'In ieder geval mag Sanne nu nog eten wat ze wil,' suste mevrouw Berendse. 'Als het maar gezond is en niet te vet.'

'Zie je wel?' zei Nathalie. 'Daar begint het al. En op het laatst mogen ze niets meer, behalve sportdranken en vitaminepillen.'

Meneer Berendse schoot in de lach. 'Je slaat weer lekker door. Zo'n vaart loopt het heus niet.'

Nathalie stond op. 'Ik moet ervandoor, anders gaat die tang moeilijk doen.'

'En wie bedoel je met "die tang"?' vroeg haar vader.

'O, m'n lerares Frans. Die wordt helemaal hysterisch als je te laat komt.'

'Wij moeten ook maar eens gaan,' zei mevrouw Berendse tegen Sanne. 'Omdat het jouw eerste dag is, ga ik met je mee. Dan kan ik meteen even kennismaken met jouw juf.'

Opgelucht keek Sanne haar aan. Nu hoefde ze tenminste niet alleen naar haar nieuwe school toe! Ze rende naar boven en pakte haar rugtas. Ze was er helemaal klaar voor, maar haar zenuwen waren nog niet verdwenen.

Sanne stond voor de deur van het schoolgebouw. Mevrouw Berendse was nog binnen. Samen hadden ze kennisgemaakt met juf Brenda. Gelukkig leek haar nieuwe juf erg aardig. Nadat ze het klaslokaal hadden bekeken, wilde de juf nog even met mevrouw Berendse praten. Sanne was toen naar het schoolplein gegaan. 'Misschien kun je al een beetje kennismaken met je nieuwe klasgenoten,' had de juf haar nageroepen. Dat was makkelijker gezegd dan gedaan. Ze wist niet eens wie haar klasgenoten waren...

Ze keek naar de spelende kinderen op het plein. Ze waren bijna allemaal jonger. Dat was ook niet zo verwonderlijk, want zij zat dit jaar in de hoogste groep. Ze probeerde te raden wie nog meer in groep 8 zat. Die meisjes bij de klimrekken misschien? Ineens zag ze een bekend gezicht. Dat leek wel Leonie, een meisje uit haar turnploeg. Ze wist niet eens dat Leonie ook op deze school zat. Ze keek nog eens goed. Ja, ze was het echt. Wat leuk! Ze was dus toch niet de enige turnster die naar deze school ging. Zou ze naar haar toe gaan? Ze twijfelde. Misschien vond Leonie het helemaal niet leuk om gestoord te worden. Ze was namelijk druk in gesprek.

Op dat moment ging de bel.

Een meneer deed de deur open. 'Kijk eens aan, een nieuw gezicht. Jij bent vast Sanne.' Hij keek haar vriendelijk aan. 'Ik ben meneer Van Vliet, de directeur van deze school. Kom binnen, weet je waar je moet zijn?'

Sanne knikte. 'Ik ben net al binnen geweest.' Ze liep naar haar lokaal toe, waar mevrouw Berendse net uit kwam.

'Ik heb even met de juf overlegd over jouw turntrainingen,' zei mevrouw Berendse. 'Ze wilde weten op welke tijden de trainingen zijn. 's Ochtends mag jij drie kwartier later komen, zodat je de ochtendtrainingen kunt volgen. Je moet dan om halftien op school zijn.'

Sanne knikte, dat had ze ook al van haar ouders gehoord.

'En wist je dat er nog een meisje bij je in de klas zit dat bij meneer Verkerk turnt?'

'Ja, Leonie,' antwoordde Sanne enthousiast. 'Ik heb haar net zien staan. Nu ben ik ten minste niet de enige die elke dag later begint.'

'Ik ga ervandoor,' zei mevrouw Berendse. 'Veel plezier in je nieuwe klas!'

Snel liep Sanne het lokaal in. De meeste kinderen zaten al op hun plek.

'Sanne!' riep Leonie. 'Wat leuk dat je bij ons in de klas komt! Jongens, dit is Sanne. Ze zit bij mij in de turnploeg.'

Verschillende kinderen zeiden haar gedag.

Sanne keek om zich heen. Het begin had ze zich veel moeilijker voorgesteld.

Juf Brenda sloot de deur. 'Ik hoor dat Leonie jou al heeft voorgesteld,' zei ze met een knipoog.

'Ja,' zei Sanne opgelucht. 'We kennen elkaar al van turnen.'

De juf stelde Sanne nog wat uitgebreider voor. Ze vertelde hoe Sanne hier terecht was gekomen. Iedereen luisterde geboeid, want wonen in een gastgezin klonk heel spannend.

'Ben je niet bang dat je heimwee krijgt?' vroeg een meisje met blonde krullen.

Sanne haalde haar schouders op. 'Ik denk dat het wel meevalt. Als er op zondag geen wedstrijd is, dan word ik zaterdag opgehaald. Meestal ben ik het weekend dus thuis.'

'Heb je leuke gastouders?' wilde een van de jongens weten.

'Tot nu toe zijn ze hartstikke aardig,' antwoordde Sanne. 'Maar ik ben gisteren pas gekomen, dus ik ken ze nog niet zo goed.'

'Hier ben je in elk geval van harte welkom,' zei juf Brenda. Ze keek het lokaal door, op zoek naar een geschikte plek.

'Ze mag wel naast mij zitten,' zei Tessa.

'Naast mij ook,' zeiden Joost en Maarten tegelijk.

De juf keek bedenkelijk.

Chantal stak haar vinger op. 'Ik wil ook wel ergens anders heen,' zei ze. 'Dan kan Sanne op mijn plek zitten.'

Sanne keek verrast naar de buurvrouw van Leonie.

'Dat is aardig van jou,' zei juf Brenda. 'Vind jij het ook goed, Leonie?'

'Tuurlijk! Als Chantal het maar niet erg vindt.'

Chantal verzekerde nogmaals dat ze het helemaal niet erg vond. En zo verhuisde ze naar de lege plek naast Tessa.

'Dan gaan we nu beginnen met de les,' zei de juf. 'Jullie mogen allemaal je rekenboek pakken.'

Sanne boog zich opzij om haar rugtas te pakken. Maar waar was die gebleven? Verschrikt keek ze om zich heen. O, wat stom! Op haar eerste schooldag meteen al iets kwijtraken...

'Is er wat, Sanne?' vroeg de juf vriendelijk.

'Ik kan m'n tas niet vinden. Ik weet echt niet waar ik hem heb gelaten.'

Alle ogen waren meteen op haar gericht.

'Heb je hem misschien op het schoolplein laten staan?'

Sanne dacht na. Het zou best kunnen, maar ze wist het niet zeker.

'Weet je wat?' stelde de juf voor. 'Ga de tas maar even zoeken. Leonie wil je daar vast wel bij helpen.'

Leonie veerde onmiddellijk op. Alles was immers beter dan die saaie rekensommen. 'Kom,' zei ze tegen Sanne. 'We vinden hem heus wel weer.'

Beschaamd verliet Sanne het lokaal. Ze had een goede beurt gemaakt, maar niet heus.

Voor de tweede keer legde Sanne de telefoon neer. Eerst had haar vader gebeld en zojuist Patty. Vanavond zou haar turnvriendin langskomen. Patty had gevraagd of Jennifer ook mee mocht komen. Voor de zekerheid had Sanne het aan haar gastouders gevraagd. 'Tuurlijk is dat goed,' had mevrouw Berendse geantwoord. 'Je mag net zo veel bezoek ontvangen als je zelf wilt.'

En zo zaten ze een halfuurtje later in Sannes kamer.

'Best gezellig hier,' merkte Patty op.

Sanne knikte. Zelf was ze er ook heel tevreden over. Door haar eigen spulletjes voelde het heel vertrouwd.

'Hoe was het op je nieuwe school?' wilde Jennifer weten.

'Het viel hartstikke mee. En weet je wie er in mijn klas zit?'

'Geen idee,' zei Patty. 'Zeg het maar.'

'Leonie.'

'Uit onze turnploeg?'

'Ja. Ik zit zelfs naast haar.' Sanne deed verslag van haar eerste schooldag. 'En toen mochten we hem gaan zoeken,' vertelde ze over de zoekgeraakte tas, die nu op haar bed lag. 'Maar op het schoolplein vonden we ook niets. Uiteindelijk hebben we hem dus gevonden. Weet je waar hij lag? In de kamer van de directeur! Hij had de tas zien liggen en wist niet van wie die was. Daarom had hij hem maar in zijn kamer gelegd.'

Jennifer grinnikte. 'Nou, dan weet hij nu meteen wie je bent.'

'Ja, echt balen. Ik kon wel door de grond zakken!'

'Dat kan ik me voorstellen,' zei Patty meelevend. 'Ik zou niet graag op m'n eerste schooldag in de kamer van de directeur willen staan.'

Er werd op de deur geklopt, en Nathalie stak haar hoofd om de hoek.

'Mag ik jouw rekenmachine even lenen?' vroeg ze. 'Die van mij doet het niet meer.'

Sanne stond op en liep naar het bureau.

Ondertussen stelde Nathalie zich voor aan Sannes vriendinnen. Al snel ontdekten ze dat ze op dezelfde school zaten: Patty in de eerste, Nathalie in de tweede en

Jennifer in de derde. Meteen werden er allerlei nieuwtjes en roddels uitgewisseld.

Sanne stond met de rekenmachine in haar handen, maar Nathalie leek niet van plan om meteen weg te gaan. Ze was zelfs op Sannes stoel gaan zitten. Even bleef Sanne staan, maar toen er niets gebeurde ging ze maar op haar bed zitten.

Nathalie draaide zich naar haar om. 'Wil jij wat drinken voor ons halen? Ik verga van de dorst.' Ze wachtte het antwoord niet af en ging verder met het gesprek.

Sanne fronste haar wenkbrauwen. Waarom moest zij dat doen? Kon Nathalie zelf niet even naar beneden lopen? Ze aarzelde. Uiteindelijk besloot ze toch maar een fles cola te gaan halen. Ze wilde niet meteen problemen krijgen met Nathalie. Dat zou alleen maar de sfeer in huis bederven...

Even later kwam ze terug met een vol dienblad.

'Lekker,' zei Nathalie, en ze dronk haar glas in één keer leeg.

Sanne ging weer op haar bed zitten. Ze hoorde hoe alle leraren en leraressen werden doorgenomen. Het kwam erop neer dat niemand deugde; op iedereen hadden ze wel iets aan te merken.

Sanne geeuwde. Ze hoopte dat haar vriendinnen niet al te lang zouden blijven, dan kon ze lekker haar bed induiken.

Toen iedereen was besproken, stond Nathalie op. 'Ik moet nog huiswerk maken,' zei ze. 'Leuk jullie ontmoet te hebben. We spreken elkaar vast nog wel een keer.'

'Leuke meid,' zei Jennifer.

Sanne zei niets.

'Je bent volgens mij wel in een leuk gastgezin terecht-gekomen.'

'Eh... ja, zeker weten.'

Patty keek van de een naar de ander. Het viel haar op dat Sanne het laatste kwartier erg stil was geweest. Ei-genlijk wel logisch, want ze had helemaal niet mee kun-nen praten. Ze hadden het alleen maar over de middel-bare school gehad. 'Heb je al zin in de turntrainingen?' vroeg ze aan Sanne.

Sannes gezicht klaarde meteen op. 'Ja, best wel. Jam-mer dat ik volgende week pas begin. Ik zou morgen best willen trainen.'

'Dat kan ik me voorstellen,' zei Patty. 'Toen ik hier m'n eerste week was, heb ik ook nog niet getraind. Maar ik miste het turnen heel erg.'

Jennifer stond op, gevolgd door Patty.

'We mailen nog wel,' zei Patty.

Jennifer wees naar haar rugtas. 'Let je morgen wel een beetje op je tas? Anders sta je straks weer in de kamer van de directeur.'

Nadat haar vriendinnen waren vertrokken, liet San-ne zich languit op haar bed vallen. De eerste dag had ze overleefd. Nu maar afwachten hoe de rest van de week zou gaan...

3
Nieuwe pakjes

In de turnzaal werd hard gewerkt. Zestien meisjes waren bezig met hun dagelijkse training. Ze deden niet allemaal hetzelfde, want elke turnster had een eigen trainingspro-gramma. Alleen de warming-up deden ze gezamenlijk. De warming-up bestond uit allerlei oefeningen om de spieren los te maken. Daardoor werd het risico op bles-sures verminderd.

De topturnsters uit de ploeg van meneer Verkerk had-den verschillende leeftijden. De jongste was tien en de oudste negentien. De kinderen onder de tien vormden de groep van de jonge talenten. Zij trainden op andere tijden, zodat ze elkaar niet in de weg liepen. Sanne train-de meestal samen met Tamara, Leonie en Patty. Tamara was nog maar tien, maar ze kon erg goed turnen. Leonie was net als Sanne elf en Patty was al twaalf. Ze waren de jonkies van de ploeg, maar dat vonden ze helemaal niet erg. Ze trainden samen omdat hun trainingsprogram-ma bijna hetzelfde was. Bovendien was het veel gezelliger en ze konden elkaar ook aanmoedigen. Meneer Verkerk vond het prima dat ze samen turnden, zolang er maar se-rieus werd gewerkt.

Sanne keek naar Patty, die op de brug bezig was. Ze voerde haar oefening perfect uit, alleen de afsprong ging niet helemaal goed. Bij de landing moest ze een flinke stap naar achteren zetten.

'Het is tijd om te wisselen van toestel,' zei Sanne. Ze keek op haar trainingsschema, waarop precies stond wat ze moesten doen.

Ze liepen naar de balk, die aan de andere kant van de zaal stond. Er stonden er drie naast elkaar. Ze hoefden dus niet op elkaar te wachten. Dat was het grote voordeel van deze turnzaal: er waren heel veel toestellen. En ze hoefden de toestellen nooit op te ruimen, want alles mocht blijven staan.

Sanne maakte wat pasjes en sprongetjes op de balk. Daar begon ze altijd mee, voordat ze zich waagde aan overslagen en andere moeilijke oefeningen. Ze wilde zich eerst helemaal zeker voelen op de smalle balk.

'Ga je nog iets nieuws doen bij de wedstrijd?' vroeg Leonie.

Sanne schudde haar hoofd. 'Ik doe nog m'n oude oefening. Dat heb ik gisteren met meneer Verkerk besproken.'

'Maar je kan de loopflikflak toch al?'

'Ja,' antwoordde Sanne. 'Maar nog niet goed genoeg. De wedstrijd is al over twee weken. Ik doe dan liever het boogje achterover. Dan weet ik tenminste zeker dat ik er niet af val.'

'Angsthaas!' zei Leonie spottend.

'Moet jij zeggen,' merkte Sanne grijnzend op. 'Wie veranderde opeens haar afsprong bij de vorige wedstrijd?'

'Was ik dat? Dat ben ik echt helemaal vergeten.'

'Ja, ja... Nou, ik toevallig niet.'

Sanne zag dat Stefan, de assistent van meneer Verkerk, hun kant op kwam. Snel vervolgde ze haar pasjes. Er mocht niet te veel gekletst worden, dat was haar al een paar keer gezegd.

Het was al haar tweede week in de ploeg van meneer Verkerk. Ze had het erg naar haar zin, maar het was wel heel zwaar. Als ze thuiskwam, dan voelde ze zich flink moe. En dan moest ze 's avonds ook nog haar huiswerk maken. Verder deed ze niet meer zo veel, hooguit wat tv-kijken, chatten of e-mailen. Vooral met Jordi en Marieke had ze veel contact. Maar ook met haar andere vriendinnen mailde ze. Meestal stuurde ze hetzelfde mailtje naar al haar vriendinnen tegelijk, want dat ging veel sneller. En zo veel tijd had ze niet, want ook Nathalie zat graag achter de computer.

'Hé, luister je wel?' Patty keek haar verontwaardigd aan.

'Eh... O, sorry. Zei je wat?'

'Ja, maar je zei niet zo veel terug.'

Sanne grinnikte. 'Ik was in gedachten. Maar wat zei je?'

'Dat we vanmiddag ons nieuwe turnpakje krijgen. Of wist je dat al?'

Sanne keek haar verrast aan. 'Nee, ik dacht pas volgende week. Gaaf, zeg!'

'Dames, gaan jullie nog even door?' Stefan keek hen waarschuwend aan.

Sanne knikte, en met een serieus gezicht vervolgde ze haar oefening. Nog een kwartier... Hopelijk ging de tijd snel om. Ze keek nu al uit naar de middagtraining. Dan

kon ze haar nieuwe pakje passen dat ze de komende wedstrijd zou dragen.

'Wat heb jij bij vraag 2 ingevuld?' Leonie keek in Sannes
schrift en zag "Spanje" als antwoord staan. 'Weet je dat
zeker?'

'Nee,' antwoordde Sanne eerlijk. 'Het zou ook Marok-
ko kunnen zijn.'

Leonie zuchtte. 'Wat een rotvragen! Nou, ik vul ook
gewoon "Spanje" in.'

Ze waren bezig met het vak Kennis van de wereld.
Eerst had de juf iets verteld over de lesstof. Nu moesten
ze zelf aan de slag met vragen uit het werkboek. Vraag 2
luidde uit welk land de meeste sinaasappelen kwamen.

'Wat interesseert mij het nou waar die dingen vandaan
komen,' zei Leonie geïrriteerd. 'Als ze maar lekker zijn.'

'Ja,' vond ook Sanne. 'En niet al te zuur.'

Het was inmiddels Sannes derde week op haar nieuwe school. Ze was al aardig gewend in haar klas. Vooral
met Leonie kon ze het goed vinden. En ook de juf was
erg aardig. Wel vond ze haar klasgenootjes een beetje saai. Ze miste een meisje als Jessie, die op haar vorige school altijd grapjes uithaalde. En ook haar hartsvriendin Marieke was altijd in voor een geintje. Leonie
was heel aardig, maar ze was wat serieuzer. Verder vond
Sanne de meeste jongens nogal streberig. Ze wilden allemaal de hoogste cijfers halen, alsof het een wedstrijd
was. Ze miste Jordi en Lars. Lars probeerde de laatste
tijd Jessie te versieren. Jordi had haar dat gisteren ge-
maild. Sanne was heel benieuwd of het wat zou worden
tussen die twee.

'Jullie mogen het werkboek opruimen,' riep juf Brenda. 'Het is tijd om naar de gymzaal te gaan.'

Sanne en Leonie keken elkaar met een vies gezicht aan. De gymlessen stelden weinig voor. Ze kregen les van hun eigen juf, die zelf niet eens een koprol kon maken. Op haar vorige school had Sanne tenminste nog een echte gymleraar voor gymnastiek gehad.

Twee aan twee liepen ze het lokaal uit. Ze moesten tien minuten lopen, maar dat vond niemand erg.

'Ik heb helemaal geen zin,' zei Leonie. 'Wedden dat we weer trefbal gaan doen?'

Sanne knikte. 'Echt saai dat we steeds hetzelfde doen. Ik snap trouwens niet dat we de gymlessen moeten volgen. Alsof we nog niet genoeg bewegen.'

'Juf Brenda wil per se dat we ook de gymlessen volgen,' vertelde Leonie. 'Mijn ouders hebben haar wel eens gevraagd waarom ik naar die lessen moet.'

'En wat zei ze?'

'Dat weet ik niet meer precies. Maar ik mocht in ieder geval niet wegblijven.'

'Flauw, zeg! De juf weet heus wel dat we heel veel turnen.'

Leonie keek peinzend voor zich uit. 'Kunnen we niet een keertje spijbelen?'

Verschrikt keek Sanne haar aan.

'Je hoeft niet zo bang te kijken, hoor,' zei Leonie lachend. 'Het is maar een ideetje.'

'Ik heb nog nooit gespijbeld,' bekende Sanne.

'Ik ook niet,' zei Leonie. 'Maar de juf vraagt er gewoon om. Het is toch belachelijk dat we die stomme lessen moeten volgen?'

Inmiddels stonden ze voor de deur van de gymzaal. Juf Brenda haalde de sleutel tevoorschijn en opende de deur.

'Ik ben heel benieuwd wat we vandaag gaan doen,' zei Leonie quasigeïnteresseerd.

Sanne beet op haar lip om niet in lachen uit te barsten.

De juf draaide zich om. 'We gaan trefballen,' zei ze stralend. 'Dinsdag hebben de jongens gewonnen, nu zijn de meisjes aan de beurt.'

Zuchtend liepen ze naar binnen.

'Je hebt gelijk,' fluisterde Sanne. 'Het wordt tijd dat we een keer gaan spijbelen.'

Op school was de tijd echt om gekropen. Toen het drie uur was, had Sanne opgelucht ademgehaald. Eindelijk was het tijd voor de middagtraining!

'Eerst wil ik iedereen hard zien trainen,' had meneer Verkerk gezegd. 'Binnenkort hebben we een belangrijke wedstrijd. Ik wil dat jullie daar goed presteren.'

Sanne moest erg wennen aan meneer Verkerk. Ze vond hem behoorlijk streng tijdens de trainingen. Juf Gerrie, haar vroegere turnjuf, was heel anders. In haar lessen werd veel meer gepraat en gelachen.

Sanne liep de vloer op. Een groot deel van haar vloer-oefening was veranderd. Ze was al een paar dagen bezig om alles zonder fouten uit te voeren. Dat viel niet mee, want er zaten een paar lastige sprongen en draaien in. Bij een van de draaibewegingen verloor ze steeds haar even-wicht.

Sanne was zo geconcentreerd bezig dat ze helemaal de tijd vergat. Toen meneer Verkerk riep dat ze mochten stoppen, keek ze verbaasd naar de klok. De training was om gevlogen.

En toen was het grote moment aangebroken... Stefan kwam met een flinke stapel pakjes de turnzaal binnen. Iedereen rende op hem af.

De assistent-trainer legde de stapel op een van de matten. Eén pakje hield hij omhoog. 'Hoe vinden jullie ze?'

'Super!' riep Esther.

De pakjes zagen er inderdaad prachtig uit. Ze waren lichtblauw van kleur met een ronde hals, en er liepen twee rode strepen overheen.

'Zijn ze goedgekeurd?'

'Jaááá!' riep iedereen in koor.

Stefan gaf iedereen een pakje. Dat was nog niet zo simpel, want er waren allerlei verschillende maten.

'Mogen we ze passen?' vroeg Jennifer.

'Ja,' antwoordde Stefan. 'En hou het pakje even aan, want er wordt straks nog een foto gemaakt.'

'O, hoezo?'

'Die plaatsen we op de website. Iedereen is er vandaag, dus dan hebben we een foto van de hele turnploeg.'

'Strak plan!' Met het pakje in haar hand liep Jennifer naar de kleedkamer, gevolgd door de rest.

Het nieuwe pakje zat iedereen als gegoten.

'Kunnen we niet in een spagaat gaan zitten?' vroeg Patty. 'Het is zo saai om gewoon te gaan staan.'

'Een strak plan,' reageerde meneer Verkerk met een quasiserieus gezicht.

Lachend ging iedereen in een spagaat zitten, waarna de turnploeg van meneer Verkerk werd vereeuwigd.

Na het avondeten had Sanne haar nieuwe turnpakje geshowd. Haar gastouders hadden het pakje uitgebreid bewonderd. Ook Nathalie was even komen kijken. 'Die kleuren zijn wel cool,' was haar commentaar geweest. Sanne had haar verrast aangekeken. Ze was gewend dat Nathalie alles raar, stom, idioot of belachelijk vond. 'Dat komt door haar leeftijd,' had mevrouw Berendse vorige week tegen Sanne gezegd. 'Ze is flink aan het puberen. Maar je zult zien... dat gaat vanzelf weer over.'

Nadat Sanne haar ouders had gebeld, ging ze naar boven. In de hobbykamer stond een computer die iedereen mocht gebruiken. Sanne zette hem aan. Ze hoopte dat haar vriendinnen online zouden zijn. Ze opende het programma msn. Jammer, niemand was aanwezig. Dan maar even kijken of iemand haar een mailtje had gestuurd. Ze opende haar mailbox, maar er waren geen nieuwe berichten. Teleurgesteld liep ze naar het raam. Ze keek naar buiten. Ineens moest ze aan thuis denken. Wat zouden haar ouders en haar broertje op dit moment aan het doen zijn? En zouden ze ook weleens aan haar denken? Plotseling klonk er een piepje. Sanne liep naar de computer. Tot haar vreugde zag ze dat Marieke zich had aangemeld op msn.

Terwijl ze druk aan het typen was, hoorde ze gestommel op de trap. De deur zwaaide open en Nathalie kwam binnenlopen. 'Ben je klaar?' vroeg ze.

'Nee,' antwoordde Sanne. 'Ik ben net begonnen.'

Geïrriteerd keek Nathalie haar aan. 'Gisteren hield je de computer ook al de hele tijd bezet. Nu is het mijn beurt!'

'Dat is helemaal niet waar! Ik heb gisteravond nog geen uur achter de computer gezeten.'

Nathalie haalde haar schouders op. 'In ieder geval wil ik nu.'

Sanne beet op haar lip. Wat moest ze nu doen? Ze had graag nog een poosje met Marieke willen chatten. Maar aan de andere kant wilde ze beslist geen ruzie met Nathalie. Tenslotte was ze hier te gast. Zuchtend liet ze Marieke weten dat ze moest stoppen. Daarna liep ze zonder gedag te zeggen weg. Harder dan normaal sloot ze vervolgens de deur van haar slaapkamer. Wat een trut was Nathalie! Haar zomaar wegsturen terwijl ze met haar beste vriendin zat te chatten... Sanne pakte haar mobiele telefoon van tafel. Als ze niet met Marieke mocht chatten, dan moest ze haar maar bellen. Niemand kon haar dat verbieden, zélfs Nathalie niet!

4
Spijbelen

Sanne en Leonie zaten naast elkaar op het muurtje. Ze keken uit over het schoolplein. Een paar meisjes uit hun klas waren aan het touwtjespringen. Verder waren veel kinderen aan het knikkeren. Het was namelijk knikkertijd. Sanne en Leonie moesten daar echter weinig van hebben.

'Hij is leuk, vind je niet?' Leonie wees in de richting van een groepje jongens.

'Bedoel je Stef?'

'Ja, wie anders? Zo veel leuke jongens hebben we niet in onze klas.'

Sanne grijnsde. Ze wist dat Leonie smoorverliefd op hem was. 'Weet Stef eigenlijk dat je hem leuk vindt?'

Leonie haalde haar schouders op. 'Geen idee, maar ik ga het hem echt niet vertellen.'

'Dan moet je iets anders verzinnen,' raadde Sanne haar aan. 'Jij hebt toch van die memoblaadjes met hartjes erop?'

Leonie knikte.

'Nou, dan schrijf je daar wat leuks op. Daarna stop je het blaadje stiekem in z'n etui.'

'Dat heb je vast een keer bij Jordi gedaan,' merkte Leonie grinnikend op.

'Ja,' gaf Sanne toe. 'Hij vond het hartstikke leuk. Zaterdagavond is hij trouwens nog bij me geweest.'

'O, leuk! Dus het is nog steeds aan tussen jullie?'

'Zeker weten! We zien elkaar alleen zo weinig. Maar gelukkig is het bijna herfstvakantie. Dan ben ik de hele week thuis.'

'Ga je na de wedstrijd meteen naar huis?' vroeg Leonie.

'Ja, daarom ben ik blij dat het dit keer op een zaterdag is. Dan ben ik zaterdagavond al lekker thuis.'

Leonie keek op haar horloge. 'We hebben nog vijf minuten. Weet jij wat we na de pauze gaan doen?'

'Volgens mij spelling,' antwoordde Sanne. 'We zullen wel weer een dictee krijgen.'

'Gaan we deze week nog een keer spijbelen?'

Aarzelend keek Sanne haar vriendin aan. 'Ik, eh... Ik weet het niet. Ik heb nog nooit gespijbeld, jij wel?'

'Nee, ik ook niet. Maar de juf vraagt er toch zeker zelf om?'

'Ja, dat wel,' gaf Sanne toe. Peinzend keek ze voor zich uit. Wilde ze eigenlijk wel spijbelen? Normaal gesproken hield ze daar helemaal niet van. Maar was het niet belachelijk dat ze alle gymlessen moesten volgen? Alsof hun juf niet wist hoe vaak ze moesten trainen... Nou, dat wist ze maar al te goed! 'We doen het,' zei Sanne stellig. 'En laten we het dan maar meteen morgen doen. Dan hebben we de gymles helemaal aan het einde van de middag.'

Verrast keek Leonie haar aan. 'Meen je dat?'

'Tuurlijk! We moeten alleen nog een goede smoes bedenken.'

'Dat lukt ons wel,' reageerde Leonie zelfverzekerd. Ze sprong van het muurtje. 'Kom, we moeten naar binnen. Die smoes bedenken we wel tijdens spelling.'

Giechelend liepen Sanne en Leonie door het winkelcentrum. Het was kwart over twee, ze hadden ruim drie kwartier de tijd om te winkelen.

'Waar zullen we heen gaan?' vroeg Leonie.

Sanne wees naar links. 'Ik wil wel even naar het sieradenwinkeltje. Volgens Jennifer hebben ze daar heel leuke oorbellen.'

'Wat denk je,' vroeg Leonie, 'zal de rest van onze klas weer aan het trefballen zijn?'

Sanne proestte het uit. 'Ik weet het wel zeker!'

Vanmorgen waren ze samen naar juf Brenda gestapt.

'Juf, u hebt vorige week toch ons nieuwe turnpakje gezien?' Leonie had haar onschuldig aangekeken.

'Ja, dat vond ik heel mooi.'

'Er komt vanmiddag een fotograaf naar onze turnzaal. Hij gaat ook een groepsfoto maken.'

'O, wat leuk,' was de reactie van juf Brenda geweest. 'Zeker in jullie nieuwe pakjes.'

'Ja,' had Sanne geantwoord. 'Maar hij komt al om halfdrie, omdat hij daarna nog ergens anders naartoe moet.'

Glimlachend had de juf hen aangekeken. 'Ik begrijp het al. Jullie willen wat eerder weg om op tijd te zijn voor de foto. Geen probleem, hoor. Voor één keer mogen jullie de gymles overslaan, dan kunnen jullie om twee uur weg.'

Sanne en Leonie waren de hele dag opgewonden geweest. Met moeite hadden ze hun aandacht bij de les kunnen houden. Toen het eindelijk twee uur was, waren ze opgelucht op hun fietsen gesprongen. En nu liepen ze door het winkelcentrum op weg naar de leuke oorbellen.

'Als we maar geen bekenden tegenkomen,' zei Sanne, terwijl ze schichtig om zich heen keek.

Leonie haalde laconiek haar schouders op. 'Dan duiken we snel een winkel in.'

In het sieradenwinkeltje vermaakten ze zich prima. Er waren zo veel leuke sieraden dat ze moeite hadden om iets te kiezen. Ook de kettinkjes waren erg mooi. Maar uiteindelijk kochten ze toch allebei een paar oorbellen.

Vervolgens stapten ze een cadeauwinkel binnen.

'Moet je deze spaarpot zien, die zou ik best voor mijn broertje willen kopen.' Sanne bekeek het prijskaartje. 'Pff... hartstikke duur!'

De verkoopster kwam op haar aflopen. 'Pas op dat je die spaarpot niet laat vallen. Het is echt porselein.'

Sanne zette hem meteen terug. Ze was toch niet van plan dat ding te kopen. 'Kom, we gaan,' fluisterde ze Leonie toe. 'Het is hier peperduur.'

Giechelend liepen ze de winkel uit.

'Die verkoopster werd helemaal gek van ons,' grinnikte Leonie. 'We zaten overal aan en kochten niets.'

Sanne kneep haar lippen samen. 'Het is echt porselein,' zei ze met het hoge stemmetje van de verkoopster.

De meiden gierden het uit.

'Au, au,' kreunde Leonie. 'M'n buik!'

Ze bleven stilstaan totdat ze wat bedaard waren.

'We hebben nog twintig minuten,' merkte Sanne op. 'Gaan we nog friet eten?'

'Tuurlijk,' antwoordde Leonie. 'Daar heb ik me de hele dag al op verheugd.'

Gelukkig was het niet druk in de snackbar. Ze bestelden allebei een patatje met mayonaise en een milkshake.

'Als we nu worden gesnapt, dan zijn we nog niet jarig,' merkte Leonie op.

Sanne knikte. Ze voelde zich niet helemaal op haar gemak. 'Kom,' zei ze. 'We gaan naar dat kunstwerk toe. Daar kunnen we ons achter verschuilen. We staan hier veel te veel in het zicht.'

Het kunstwerk bestond uit tien grote, grijze buizen, die in bogen over elkaar hingen.

'Ik snap niet dat mensen dit mooi vinden,' zei Leonie. 'Ze hadden die buizen toch wel een kleurtje kunnen geven?'

Sanne gaf geen antwoord. Haar aandacht werd getrokken door een paar opgeschoten tieners. Ze stonden vlakbij en waren luid met elkaar aan het praten. Ze stootte haar vriendin aan. 'Moet je kijken, dat lijkt Nathalie wel.'

Ze keken allebei naar het meisje met de sigaret in haar handen.

'Ze is het, ik weet het zeker!' Sanne dook wat verder achter de buizen. 'Ze mag me hier beslist niet zien!'

'Dan moeten we hier blijven staan tot ze weg zijn,' merkte Leonie op. 'Als we nu weglopen, dan zien ze ons misschien.'

Ze wachtten drie minuten, vijf minuten, tien minuten...

Nerveus keek Sanne op haar horloge. Ze moesten nodig naar de turnzaal toe. Straks kwamen ze nog te laat ook!

Eindelijk liepen Nathalie en haar vrienden weg.

Ze bleven wachten tot het groepje helemaal uit het zicht was verdwenen.

'We nemen de kortste weg terug,' zei Leonie. 'Wist jij trouwens dat Nathalie rookte?'

Sanne schudde ontkennend haar hoofd. 'Thuis doet ze dat echt niet. Dat zouden m'n gastouders nooit goedvinden.'

Leonie klakte met haar tong. 'Dan doet ze het dus stiekem!'

Toen ze bij hun fietsen waren aangekomen, keek Sanne nogmaals op haar horloge. 'We halen het nooit meer,' zei ze bezorgd. 'Hoe hard we ook fietsen.'

Ze trapten alsof hun leven ervan afhing.

'Shit, rood!' Ze stapten af en wachtten tot het stoplicht weer op groen zou springen.

'Heb jij al een goede smoes bedacht?' vroeg Sanne.

'Nee,' antwoordde Leonie. 'Ik dacht dat jij dat zou doen.'

'Hoezo?'

'Omdat ik de smoes van de fotograaf al heb bedacht.'

'Kunnen we die dan niet twee keer gebruiken?' vroeg Sanne.

Leonie grinnikte. 'Je bedoelt dat de fotograaf op school langs is geweest?'

'Ja,' zei Sanne. 'En we mochten niet weg voordat de klassenfoto was gemaakt.'

Het licht sprong op groen.

'Kom op, rijden!'

Niet veel later stonden ze bij de deur van de turnzaal.

'We zijn tien minuten te laat,' stelde Sanne vast. 'Valt eigenlijk best mee.'

'Laat meneer Verkerk dat maar niet horen,' waarschuwde Leonie. 'Die vindt één minuut al te veel!'

Snel verkleedden ze zich.

Voordat ze de turnzaal in liepen, fluisterde Leonie: 'Trek een onschuldig gezicht.'

In plaats daarvan schoot Sanne in de lach.

Leonie duwde haar snel weer de kleedkamer in. 'Wat doe je nou, sufferd! Zo gelooft hij ons nooit!'

'Sorry, het komt door de zenuwen. Al die leugens... Ik word er hartstikke nerveus van, weet je dat?'

'Ik ook,' zei Leonie. 'Maar we kunnen nu niet meer terug.'

Dit keer liepen ze echt naar binnen.

Sanne probeerde krampachtig haar gezicht in de plooi te houden. Ze was blij dat Leonie het woord zou doen.

Meneer Verkerk kwam al aanlopen. 'Zo dames, wat dachten jullie: beter laat dan nooit?' Hij keek van de een naar de ander, maar er kwam geen reactie. 'Jullie zijn bijna een kwartier te laat. Mag ik vragen hoe dat komt?'

Het bleef stil. Sanne keek met een schuin oog naar Leonie. Waarom zei ze niets?

'Komt er nog wat van?' De hoofdtrainer keek hen ongeduldig aan.

'We konden er niks aan doen, meneer,' zei Sanne. 'De fotograaf was er. We moesten wachten totdat hij onze klas had gefotografeerd.'

'Nou, dat is fraai,' reageerde meneer Verkerk ontstemd. 'Had die man niet wat eerder kunnen komen? Maar goed, daar kunnen jullie ook niets aan doen. Geen tijd meer te verliezen, dames. Begin maar snel met de warming-up.'

Toen hij wegliep, keken ze elkaar opgelucht aan.

'Sorry,' fluisterde Leonie. 'Ik had de tekst van tevoren geoefend, maar ineens was ik alles kwijt.'

'Geeft niks,' fluisterde Sanne terug. 'We hebben ons eruit gered.'

Ze begonnen rondjes te rennen. Tijdens haar rekoefeningen keek Sanne naar Patty en Tamara. Zij waren al bezig op de brug. Patty keek op en zwaaide. Sanne zwaaide lachend terug. Patty begreep er natuurlijk niets van dat ze zo laat waren. Straks zou ze haar alles vertellen, want ze zaten toch bij elkaar in het groepje. Jennifer had minder geluk. Zij trainde meestal alleen, omdat ze een heel ander trainingsprogramma volgde. 'Denk maar niet dat jullie volgend jaar ook nog met z'n vieren trainen,' had Jennifer haar vorige week nog gezegd. 'Dat is alleen in het begin zo. Kijk maar om je heen: alle oudere meisjes trainen alleen.' Sanne had onverschillig haar schouders opgehaald. Voorlopig zat ze in een gezellig groepje en daar was ze blij om.

Ze waren inmiddels klaar met de warming-up.

'Het heeft geen zin meer om naar de brug te gaan,' vond Leonie. 'We gaan al bijna wisselen van toestel.'

Sanne knikte. 'Laten we er nog even heen lopen. Dan kunnen we ze vertellen waarom we zo laat waren.'

In geuren en kleuren vertelden ze over hun spijbelavontuur. Patty en Tamara vonden het prachtig. Ze zaten zo geboeid te luisteren dat ze niet doorhadden dat meneer Verkerk er aankwam.

'Wat moet dit voorstellen?' De hoofdtrainer keek Sanne en Leonie indringend aan. 'Eerst te laat komen en daarna andere turnsters van het werk afhouden. Geen goede beurt, dames!'

Sanne voelde dat ze een kleur kreeg van schaamte.

'Het is hier geen speeltuin,' vervolgde hij. 'Er wordt hier hard gewerkt, is dat duidelijk?'

Ze knikten.

'Dan wil ik jullie vanaf nu keihard zien trainen!' Hij draaide zich om en liep weg.

'Pff... die is boos,' fluisterde Patty. 'Kom, we moeten naar de balk.'

Het huilen stond Sanne nader dan het lachen. Meneer Verkerk was flink tegen haar uitgevallen. Ze had er vandaag een behoorlijke puinhoop van gemaakt. Dat wist ze maar al te goed. Maar waarom mocht er nooit even gekletst worden? En waarom draaide alles hier alleen maar om prestaties? Sanne dacht met heimwee terug aan de lessen van juf Gerrie. Bij haar mocht tussen de oefeningen door best gekletst worden. En de sfeer was veel gezelliger in haar lessen. Ineens voelde ze een traan over haar linkerwang lopen. Met een driftig gebaar veegde ze hem weg. Ze keek om zich heen, maar gelukkig had niemand het gezien. Snel klom ze op de balk. Ze wilde hier beslist niet in huilen uitbarsten! Daarom moest ze snel aan andere dingen denken. Aan haar nieuwe balkoefening bijvoorbeeld. Ze zou zó goed haar best doen dat meneer Verkerk straks weer tevreden over haar kon zijn.

5

Heimwee

'Aan de kant!' riep de juf. 'Er komen fietsers aan.'

Iedereen schoof een stukje naar rechts, zodat de fietsers erlangs konden.

Ze waren op weg naar de gymzaal. Omdat er geen wandelpaden waren, moesten ze goed uitkijken. Ze liepen twee aan twee, waardoor er een lange sliert ontstond. De juf liep altijd voor en een van de hulpmoeders achter.

Zoals altijd liepen Sanne en Leonie naast elkaar.

'Wat zijn we vandaag braaf, hè,' zei Leonie.

'Ja, we hebben ons leven flink gebeterd,' reageerde Sanne grijnzend.

Het was precies een week geleden dat ze hadden gespijbeld. Uiteindelijk was alles goed afgelopen; niemand had iets gemerkt. Patty en Jennifer hadden hun spijbelavontuur prachtig gevonden. 'Dat had ik niet van jullie verwacht,' was de reactie van Jennifer geweest. 'Maar jullie hebben gelijk, hoor. Patty en ik hoeven de gymlessen tenminste niet te volgen.'

'Ik ga gillen als we weer trefbal gaan doen,' zei Sanne.

Leonie grinnikte. 'Dan doe ik graag met je mee. En na het gillen moet ik zogenaamd ergens naartoe.'

'Naar een fotograaf zeker,' grapte Sanne.

'Echt komisch dat we die smoes twee keer hebben gebruikt,' zei Leonie. 'Het is maar goed dat ze het niet van
elkaar weten.'

'Maar meneer Verkerk is de laatste tijd wel erg chagrij-
nig,' merkte Sanne op. 'Ik hoop maar dat hij niets door-
heeft.'

Tijd om verder te praten hadden ze niet, want ze stonden al voor de gymzaal.

'Over drie minuten is iedereen omgekleed,' riep juf
Brenda. 'We gaan vandaag een hoop doen.'

De twee vriendinnen keken elkaar veelzeggend aan.

'Zullen we alvast gaan gillen?' vroeg Sanne zacht.

'Nog heel even wachten,' antwoordde Leonie. 'Misschien is ze vandaag in een creatieve bui en gaan we wat
anders doen.'

Nadat ze zich hadden omgekleed, liepen ze de gymzaal in. Aan de ene kant van de zaal stond een bok en aan
de andere kant een kast.

'Ik heb wat toestellen klaargezet,' zei hun juf vrolijk.
'Dat zullen jullie vast leuk vinden.'

Beleefd toverden ze allebei een glimlach tevoorschijn.

'Niet te geloven,' fluisterde Sanne toen ze naar de
bank liepen. 'Ze denkt dat ze ons daar een plezier mee
doet.'

Niet veel later stonden ze klaar in twee lange rijen. Bij
juf Brenda moesten ze gespreid over de bok springen. De
hulpmoeder stond bij de kast. Na drie keer springen in de
minitrampoline moesten ze ophurken en daarna netjes
van de kast afspringen.

Leonie stond nu vooraan bij de bok. 'Let op,' zei ze tegen Sanne. Na een harde aanloop sprong ze met beide voeten op de springplank. Vervolgens vloog ze zonder haar handen neer te zetten over de bok heen.

'Ooo,' riep juf Brenda, en van schrik deinsde ze een stukje achteruit.

Grijnzend liep Leonie weg.

Nu was Sanne aan de beurt. Voordat de juf haar tegen kon houden rende ze naar de bok. Gespannen keek iedereen toe. Na een krachtige afzet stond ze kaarsrecht op de bok, zonder haar handen te hebben gebruikt. 'O, sorry,' zei ze. 'Ik had eroverheen gemoeten.'

Haar klasgenoten lachten, want het was duidelijk dat ze het expres had gedaan.

Ze sprong terug op de springplank, waarna ze uit stand alsnog over de bok sprong.

'Dit gebeurt niet nog een keer!' riep juf Brenda boos. 'Jullie doen gewoon mee! Nog één keer zo'n rare sprong en ik stuur jullie naar de kleedkamer.'

Zuchtend keken ze elkaar aan. Het beloofde voor de rest van de tijd weer een oersaaie gymles te worden.

Die middag werd er hard gewerkt in de turnzaal. Ze hadden nog maar vier dagen om te oefenen voor de wedstrijd. De afgelopen week had Sanne flink getraind. Komende zaterdag wilde ze namelijk goed voor de dag komen. Het was haar eerste wedstrijd sinds ze deel uitmaakte van de selectieploeg van meneer Verkerk. Samen met Leonie en Tamara zat ze in de leeftijdsgroep 10-11 jaar. Stiekem hoopte ze op een medaille, want ze was de beste van hun drieën. Patty had haar dat laatst nog toege-

fluisterd. Er deden echter ook turnsters van andere ver-
enigingen mee. Ze moest dus afwachten en zo goed mogelijk haar best doen.

Niet alleen haar ouders en Tim zouden komen kijken,
maar ook Jordi. Ze was blij hem snel weer te zien. Volgende week was het herfstvakantie. Dan konden ze lekker veel samen zijn.

Sanne keek naar de vloeroefening van Tamara. Haar
oefening ging steeds beter, maar ze maakte wel verschillende fouten. Ook haar laatste sprongserie ging niet helemaal goed. Ze had veel te veel vaart, waardoor ze bij haar
landing in de problemen kwam. Ze wankelde hevig en
moest een paar stappen naar achteren doen om te blijven
staan. Teleurgesteld liep ze de vloer af. Stefan liep naar
haar toe om wat aanwijzingen te geven.

'Jij bent,' zei Leonie tegen Sanne.

Sanne liep de vloer op. Ze wachtte geduldig tot Stefan
de muziek aanzette. Haar vloeroefening was door hem
gemaakt. Dat was een lastige klus, want alle bewegingen
moesten precies passen bij de muziek. Sanne vond haar
vloeroefening erg leuk. Gelukkig maar, want ze moest
hem vele malen per week uitvoeren.

Sanne liep terug naar Leonie. 'Arme Tamara, hij houdt
maar niet op met preken.'

Leonie knikte. 'Ze begint steeds sipper te kijken.'

Stefan keek op. 'Waarom sta je nog niet klaar?' riep hij
Sanne toe.

Voordat ze iets terug kon zeggen, was hij weer in gesprek met Tamara.

'Krijg nou wat!' reageerde Sanne ontstemd. 'Ik stond
de hele tijd al klaar!'

Leonie grinnikte. 'Volgens mij heeft hij dat niet eens gezien.'

Opnieuw liep Sanne de vloer op. Dit keer hoefde ze niet lang te wachten. Stefan had de cd al in zijn handen.

Al snel vergat Sanne alles om zich heen. Ze concentreerde zich alleen nog maar op de muziek en op haar bewegingen.

'Ze doet het super,' merkte Leonie op.

Patty knikte. 'Hopelijk doet ze het zaterdag ook zo goed.'

Ook meneer Verkerk keek toe. 'Het is een mooie oefening,' zei hij tegen Stefan. 'En tot nu toe voert ze hem foutloos uit.'

De assistent-trainer knikte. 'Ze is de laatste dagen goed in vorm. Hopelijk houdt ze die vorm nog even vast.'

Sanne had haar oefening inmiddels beëindigd.

'Top!' riep Patty.

'Je gaat zaterdag winnen, dat voel ik gewoon,' zei Leonie.

Glimlachend nam Sanne de complimenten in ontvangst. Ze was er zelf helemaal niet zo zeker van. Eigenlijk zag ze er behoorlijk tegenop. Ze was altijd al zenuwachtig voor wedstrijden, maar dit keer nog meer dan anders. Voor het eerst deed ze mee als topturnster. De andere kinderen zouden vast heel goed zijn.

'Prima gedaan,' hoorde ze ineens achter zich.

Ze draaide zich om.

'Je doet de laatste tijd goed je best. Ga zo door!'

Verrast keek ze naar meneer Verkerk, die alweer was doorgelopen. Iedereen vond dat ze het goed deed. Zelfs de hoofdtrainer was tevreden over haar. Waarom bleef ze zich dan zo onzeker voelen? Ze wist het zelf niet. Ze besloot zich niet meer druk te maken voor de wedstrijd. Die zenuwen waren nergens voor nodig, zo stelde ze zichzelf gerust.

Sanne legde de telefoon neer.

'Is alles goed met je ouders?' vroeg mevrouw Berendse vanuit de keuken.

'Ja,' antwoordde Sanne stralend. 'Ze kijken uit naar de herfstvakantie.'

'Dat kan ik me voorstellen. Ze vinden het vast heel gezellig dat je dan een hele week thuis bent.'

Sanne liep de keuken in. 'Kan ik nog ergens mee helpen?'

'Nee hoor, ga maar lekker zitten. Je hebt vandaag al genoeg gedaan.'

'Maar hier in huis doe ik helemaal niets!'

'Dat hoeft ook niet,' reageerde mevrouw Berendse vriendelijk. 'Naast je school train je 23 uur per week. Dat vind ik meer dan genoeg. Er moet ook tijd zijn voor ontspanning.'

Vertwijfeld keek Sanne naar het volle aanrecht.

'Ga maar lekker tv-kijken. Er kwam toch een dansfilm die je wilde zien?'

Sanne was die film helemaal vergeten. Snel zette ze de tv aan.

Het volgende uur genoot ze van de prachtige film. Het verhaal ging over Lisa, een meisje dat heel goed kon dansen. Haar ouders konden echter geen dure balletlessen betalen. Daarom danste ze stiekem in de gymzaal van haar school. Een lerares ontdekte haar geheime dansuurtjes. Ze was erg onder de indruk van Lisa's talent. De lerares zorgde ervoor dat ze auditie mocht doen bij een beroemde dansschool. Tot haar vreugde werd ze daar aangenomen. Omdat ze de meest talentvolle leerling was, kreeg ze een studiebeurs waarmee ze haar dansopleiding kon betalen.

Sanne was zo verdiept in het verhaal dat ze niet eens merkte dat Nathalie binnenkwam.

Nathalie pakte de afstandsbediening en schakelde over op een ander net.

'Hé,' riep Sanne. 'Ik ben een film aan het kijken!'

'O, sorry,' reageerde Nathalie onverschillig. 'Ik dacht dat hij al afgelopen was.' Ze schakelde terug naar de dansfilm. 'Maar om acht uur begint mijn soapserie. Je hebt dus nog tien minuten.'

Meneer Berendse keek op van zijn krant. 'Die film blijft gewoon aanstaan,' zei hij kalm.

Nathalie griste de televisiegids van tafel. 'Wanneer is die rotfilm dan afgelopen?'

'Halfnegen,' antwoordde Sanne zacht.

'Dan mis ik mijn programma!' Ze keek haar vader boos aan.

'Dat is dan jammer. Sanne mag ook wel eens wat zien.'

Nathalie stampte op de grond. 'En ik kan zeker weer stikken!' Woedend liep ze naar de deur. 'Jullie bekijken het maar!' Ze smeet de deur hard achter zich dicht.

Geschrokken keek Sanne haar gastouders aan.

'Niets aan de hand,' stelde meneer Berendse haar gerust. 'Die driftbui drijft vanzelf weer over. Blijf maar lekker kijken.'

Sanne probeerde zich weer te verdiepen in het verhaal, maar dat lukte haar maar half. Ze moest steeds aan Nathalie denken, die nu boos op haar kamer zat. Door haar kon Nathalie de soapserie niet zien die ze zo leuk vond. Zuchtend keek ze naar Lisa, die haar eerste dansuitvoering had. Het verhaal kon haar echter niet meer boeien. Haar filmavondje was behoorlijk verpest.

Sanne liep zachtjes de trap op. Ze had er weinig behoefte aan om Nathalie tegen te komen. Uit de kamer van Nathalie klonk muziek. Dat kwam goed uit, want Sanne wilde graag nog even chatten. Ze liep de hobbykamer in en zette de computer aan. Ze hoopte dat Marieke online was. Snel opende ze het programma msn. Hoera, Marieke was aanwezig! Nu maar hopen dat ze langer met haar kon kletsen dan de vorige keer...

Er volgde een heerlijk halfuurtje. Met niemand kon ze zo fijn chatten als met Marieke. Ze had haar precies verteld wat er die avond was gebeurd. 'Wat een irritante griet,' was de reactie van Marieke geweest. 'Ik had haar allang een flinke dreun verkocht!' Verder hadden ze het uitgebreid over hun vriendjes gehad. Marieke had nog steeds verkering met Jeroen, die ze op zomerkamp had leren kennen. Voor de zoveelste keer had Marieke al zijn goede eigenschappen opgenoemd. Ze hadden nog uren door kunnen kletsen, maar dat kon jammer genoeg niet. Met de belofte snel weer verder te kletsen, hadden ze afscheid van elkaar genomen.

Opgewekt verliet Sanne de hobbykamer. Wat hadden ze weer lekker geroddeld. Met Leonie was ze inmiddels ook goed bevriend, maar Marieke bleef toch haar hartsvriendin. Ze liep meteen door naar de badkamer om haar tanden te poetsen. Toen ze naar binnen wilde lopen, kwam Nathalie er net uit. Ze botsten bijna tegen elkaar op.

'O, sorry,' zei Sanne, en ze deed vlug een stapje opzij.

Zonder iets te zeggen liep Nathalie langs haar heen. Maar bij de deur van haar slaapkamer draaide ze zich om. 'Nog bedankt,' snauwde ze haar toe. 'Door jou heb ik m'n favoriete soap gemist! Die films kijk je voortaan maar in je eigen huis. Dan hoef ik tenminste geen programma's meer te missen.' Voordat Sanne iets terug kon zeggen, was Nathalie al verdwenen. Beduusd bleef ze een poosje in de gang staan.

Nadat ze haar tanden had gepoetst, zakte Sanne op haar kamer in een stoel neer. Van haar opgewekte stemming was weinig meer over. O, wat zou ze op dit moment graag thuis zijn! Ver weg van Nathalie, die de hele tijd zo onaardig tegen haar deed. En dicht bij haar ouders en broertje, Jordi, Marieke en al haar andere vriendinnen. Ze deed haar pyjama aan en kroop haar bed in. Er was niemand die haar lekker instopte zoals thuis. Ineens voelde ze zich heel eenzaam. Wat deed ze hier eigenlijk? Waarom was ze niet lekker thuisgebleven? Langzaam kwamen de tranen op. Eerst een paar, maar het werden er steeds meer. Het leek wel of ze niet meer kon stoppen... Al snel snikte ze het uit, zonder dat ze er iets aan kon doen. Ze trok haar dekbed over haar hoofd. Niemand mocht horen dat ze huilde.

6

Eindelijk vakantie!

Sanne pakte haar nieuwe turnpakje uit de kast. Vandaag mocht ze het eindelijk dragen. Ze had er al de hele week naartoe geleefd: haar eerste wedstrijd als topturnster! En na de wedstrijd ging ze lekker naar huis. Niet voor een weekeindje, maar voor een hele week.

Glimlachend hees Sanne zich in haar pakje. Ze was heel benieuwd hoe ze eruitzag. Jammer genoeg had ze geen grote spiegel in haar kamer. Daarom liep ze naar de badkamer, want daar was er wel één.

Tevreden keek Sanne naar haar spiegelbeeld. Die lichtblauwe kleur stond haar goed. Ze draaide in de rondte. De rode strepen liepen door naar de achterkant van haar pakje. Ze maakte een paar zwaaibewegingen. Als ze zich bewoog, dan zorgden die strepen voor een flitsend effect.

Sanne liep terug naar haar kamer. Ze moest opschieten, want haar ouders konden ieder moment voor de deur staan. Snel schoot ze in haar trainingspak. Nu moest ze alleen nog iets aan haar haren doen, omdat ze niet met losse haren in de turnzaal mocht verschijnen. Ze besloot een hoge staart te maken. Op het moment dat ze het laatste speldje in haar haren stak, ging de bel.

'Sanne, bezoek voor jou!' riep meneer Berendse.

Ze stormde naar beneden en viel haar ouders in de armen. Haar broertje gaf ze een vriendschappelijke klap op zijn schouder.

'En je vriendje is er ook,' zei Tim plagend. 'Ga hem maar snel gedag zeggen.'

Sanne keek naar Jordi, die nog steeds bij de deur stond. 'Dat doe ik pas als jij weg bent,' reageerde ze gevat.

Even later stonden Sanne en Jordi wat onwennig tegenover elkaar.

'Leuk dat je er bent,' zei Sanne.

Jordi knikte, waarna hij zwijgend zijn jas ophing.

'Hoe is het op school?'

'Wel goed,' antwoordde Jordi. 'Je moet trouwens de groeten van Lars hebben.'

'O, leuk. Doe hem de groeten terug.'

Er viel opnieuw een stilte.

'Kom,' zei Sanne, en ze trok Jordi mee naar binnen.

Ze gingen naast elkaar op de bank zitten.

'Je bent er al helemaal klaar voor, zie ik,' zei haar vader vanuit zijn stoel.

Sanne knikte. 'M'n nieuwe pakje heb ik ook al aan. Willen jullie dat zien?' Ze ritste haar trainingsjack open en showde het lichtblauwe pakje.

Nadat iedereen haar nieuwe pakje had bewonderd, werd de koffie op tafel gezet.

'Voor jullie heb ik chocolademelk, is dat goed?' vroeg mevrouw Berendse.

'Lekker,' antwoordde Tim. Hij telde de bekers. 'Komt Nathalie niet naar beneden?'

'Nee,' antwoordde mevrouw Berendse. 'Ze slaapt uit. Gisteravond is ze uit geweest en ze kwam vannacht erg laat thuis.'

Sanne moest meteen weer aan die sigaret denken. Reken maar dat ze gisteren ook had gerookt. Ze hield haar mond daar stijf over dicht, want ze wilde Nathalie niet in de problemen brengen.

'We moeten wel een beetje opschieten,' zei Sanne. 'Ik wil niet te laat komen.'

Haar vader knikte. 'Na de koffie gaan we weg. Ik denk dat het een halfuur rijden is. Maar misschien moeten we nog zoeken. We zijn nog nooit in die sporthal geweest.'

In één teug dronk Sanne haar beker leeg. 'Dan ga ik alvast m'n spullen pakken.'

Jordi sprong op. 'Ik help je wel met sjouwen.'

'Wat een heer,' zei Tim spottend.

'Daar kan jij nog een hoop van leren,' merkte zijn vader op.

Sanne en Jordi sleepten allebei een tas naar beneden.

Ineens hoorde Sanne een deur opengaan. Ze keek omhoog en ze zag het slaperige hoofd van Nathalie.

'Hé, ben je al wakker?'

'Ja,' antwoordde Nathalie. 'Ga je al weg?'

Sanne knikte.

'Succes met de wedstrijd! Enne... veel plezier volgende week.'

'O, dank je,' antwoordde Sanne verrast.

Nathalie was alweer verdwenen.

'Hoe is het mogelijk,' fluisterde Sanne tegen Jordi. 'Dat had ik echt niet van haar verwacht!'

'De wonderen zijn de wereld nog niet uit,' fluisterde Jordi terug.

Sannes moeder kwam de gang in lopen. 'Weet je zeker dat je alles hebt?'

'Ja, ik zou niet weten wat ik verder nog mee moet nemen.'

'Dan wordt het tijd om te vertrekken,' zei de vader van Sanne.

Ze namen hartelijk afscheid van Sannes gastouders.

'Heel veel succes met de wedstrijd,' zei mevrouw Berendse, en ze gaf Sanne drie zoenen.

'Voorlopig willen we je niet meer zien,' grapte meneer Berendse. 'Over een week mag je pas weer bij ons terugkomen.'

Even later reden ze toeterend de straat uit. Volgende week zou ze hier terugkomen, maar daar wilde ze nu nog niet aan denken.

Zuchtend liep Sanne de kleedkamer in. De wedstrijd had ze afgesloten met een mislukte balkoefening. Ze was er maar liefst twee keer van afgevallen. Tijdens de laatste trainingen had ze haar nieuwe balkoefening foutloos uitgevoerd. Maar vandaag was ze veel te nerveus geweest. Bij elk toestel was ze beoordeeld door vier juryleden. Niet eerder waren dat er zo veel geweest bij een wedstrijd.

Zuchtend liet ze zich op de bank vallen. 'Ik heb het hartstikke verpest,' zei ze tegen haar turnvriendinnen.

'Dat valt best mee,' troostte Patty haar. 'Jouw vloeroefening ging onwijs goed.'

Sanne schudde ontkennend haar hoofd. 'Ik heb de sprongseries makkelijker gemaakt. Daardoor is de uitgangswaarde van mijn oefening veel lager geworden. Een hoog cijfer kan ik dus wel vergeten.'

'Hallo!' zei Leonie vrolijk, die samen met Tamara de kleedkamer binnenkwam. 'Zijn jullie ook zo blij dat het afgelopen is? Hoeveel medailles gaat onze ploeg halen, denken jullie?'

'Geen idee,' antwoordde Patty. 'Maar Jennifer wint er vast wel één. Zij deed het supergoed.'

'Jij deed het anders ook niet slecht,' merkte Sanne op. 'Volgens mij heb je helemaal geen fouten gemaakt.'

Er werd op de deur gebonkt. 'Dames, de opmars begint!'

Patty sprong op. 'Dat is Stefan, ik hoor het aan zijn stem.' Ze trok Sanne overeind, die er nog steeds met een gezicht als een oorwurm bij zat. 'Kom, we moeten ons opstellen.'

Ze liepen naar de gang, die inmiddels al vol stond met turnsters.

Sanne wees naar rechts. 'Kijk, daar staat Ilse met de vlag van onze vereniging. We moeten straks achter haar aan lopen.'

Ze stonden nog maar net klaar of de muziek werd gestart. In een lange rij liepen ze de zaal in. Met een schuin oog keek Sanne naar haar ouders, die mee klapten op de maat van de muziek. Jordi stak zijn duim omhoog, en Tim volgde zijn voorbeeld. Ze glimlachte. Toch leuk dat ze meegekomen waren om haar aan te moedigen.

Toen ze zich rondom het podium hadden opgesteld, begonnen de toespraken. Sanne ergerde zich daar altijd groen en geel aan. Waarom begonnen ze niet meteen met het uitreiken van de prijzen? Ze keek naar meneer Verkerk, die verveeld om zich heen keek. Ze was dus niet de enige die de toespraken saai vond.

'Wat een gezemel, hè,' fluisterde Sanne.

Patty knikte. 'Volgens mij vinden ze zichzelf vreselijk interessant. En moet je dat mantelpakje van haar zien... Verschrikkelijk!'

Sanne grinnikte. 'Haar schoenen zijn ook niet erg hip.'

Tot hun opluchting was zij de laatste spreker.

'Let op, nu volgt de prijsuitreiking,' zei Patty.

Eerst kwamen de hogere leeftijdsgroepen aan bod. Zoals verwacht behaalden Patty en Jennifer allebei een medaille. Patty kreeg een bronzen medaille omgehangen en Jennifer zelfs een gouden. Sanne was blij voor haar vriendinnen. Ze klapte zó hard dat haar handen er rood van werden. Vervolgens was de groep van Sanne, Leonie en Tamara aan de beurt. Sanne was er zeker van dat ze niets had gewonnen. Ze had te veel fouten gemaakt. Haar gevoel klopte, want er werden drie onbekende namen genoemd. Van hun vereniging was helaas niemand in de prijzen gevallen.

Daarna kreeg iedereen een diploma waarop de behaalde cijfers stonden. Tijdens het afmarcheren bekeek Sanne haar cijfers. Ze was zevende van haar groep geworden. Niet bepaald een topprestatie, terwijl ze er zo hard voor had getraind. Wat had ze graag op dat podium willen staan!

In de gang stond meneer Verkerk hen op te wachten. Nadat hij de prijswinnaars had gefeliciteerd, klopte hij Sanne op de schouder. 'Niet zo sip kijken, hoor,' zei hij bemoedigend. 'Het was je eerste wedstrijd. Niemand verwacht dat je dan meteen een medaille wint.'

Sanne glimlachte. Ze was blij dat hij zo reageerde en niet boos of teleurgesteld was.

In de kleedkamer trok ze snel haar trainingspak aan. Ze had helemaal geen zin om na te praten met haar vriendinnen. Dan werd ze alleen maar weer herinnerd aan haar slechte prestaties. Ze wilde weg uit de kleedkamer. Hoe sneller, hoe beter!

Zoekend keek Sanne de zaal rond. Er zaten nog maar een paar mensen op de tribune. Ineens hoorde ze iemand haar naam roepen. Het was Jordi, zijn stem herkende ze uit duizenden.

Jordi rende op haar af. 'Ik zocht je al!' Hij legde zijn arm om haar schouder.

Sanne glimlachte. 'Ik ben blij dat ik je zie. Waar is de rest?'

'Jouw ouders staan in de hal. Ze praten met meneer Verkerk.'

'O, en Tim?'

'Geen idee. Ineens was ik hem kwijt.'

Sanne schudde zich los. 'Kom, dan gaan we even zitten. We moeten toch nog wachten op mijn ouders.' Ze trok haar vriend mee naar de tribune. 'Ik ben benieuwd wat meneer Verkerk over mij te zeggen heeft.'

Ze ploften op een van de banken neer.

'Ben je teleurgesteld dat je niets hebt gewonnen?' vroeg Jordi.

Sanne trok haar schouders op. 'Ik had het al verwacht. Het ging echt slecht vandaag. Tijdens de trainingen ging het veel beter.'

'Sanne!' klonk het vanaf de andere kant van de zaal.

Ze keek naar haar broertje, die naar haar stond te wuiven.

'Juf Gerrie is hier!' riep hij. 'Ze zoekt je.'

Sanne sprong op. 'Wat leuk! Ik wist niet dat zij er ook was.'

Ze liepen door de hal. Het was daar heel druk, waardoor ze juf Gerrie niet meteen zagen.

'Kom maar achter mij aan,' zei Tim. 'Ik heb haar net nog gezien.'

Sanne begroette haar vroegere juf hartelijk. 'Het ging helemaal niet goed vandaag,' zei ze vervolgens. 'Ik heb nog nooit zo'n slechte wedstrijd gedraaid.'

Juf Gerrie wuifde haar verontschuldigingen weg. 'Door de zenuwen heb je wat foutjes gemaakt, maar je stijl was goed. Los van die foutjes vind ik dat je mooi hebt geturnd.'

Sannes gezicht klaarde op. Zó slecht was haar optreden kennelijk ook weer niet geweest.

Daarna vertelde ze haar juf alles over het gastgezin, de nieuwe school en de turnploeg van meneer Verkerk. Nou ja, alles... Over haar problemen in het gastgezin zweeg ze. Ze wilde daar niemand mee lastigvallen. Vanochtend had Nathalie haar zelfs nog succes toegewenst. Zó'n kreng was ze dus ook weer niet. Na de herfstvakantie zou het allemaal beter gaan, daar was Sanne van overtuigd.

Even later stond Jordi weer voor haar neus. 'Je ouders zijn uitgepraat met meneer Verkerk,' vertelde hij. 'Ze lopen nu naar de kantine. Ik moest je roepen, want we gaan nog wat drinken.'

'Dan ga ik Johan maar eens opzoeken,' zei juf Gerrie glimlachend.

Sanne keek haar nieuwsgierig aan, maar ze durfde niets te vragen. Het was inmiddels algemeen bekend dat juf Gerrie en meneer Verkerk iets met elkaar hadden.

'Misschien logeert ze wel bij hem,' zei Jordi, terwijl ze haar nakeken.

Sanne knikte. 'Het zal me niets verbazen. Ik ben benieuwd wanneer ze gaan trouwen.'

Ze liepen de trap op naar de sportkantine.

Tim kwam hen al tegemoet. 'We hebben cola voor jullie besteld, is dat goed?'

'Altijd,' antwoordde Sanne, en ze liep naar het tafeltje waar haar ouders zaten. 'Wat heeft meneer Verkerk allemaal over mij gezegd?' vroeg ze meteen.

'Een heleboel,' antwoordde haar vader plagerig.

'Doe niet zo flauw, pap. Ik wil alles horen!'

'We hebben alleen een beetje bij gekletst,' zei haar moeder.

'Dan is het goed.' Sanne dronk haar glas leeg.

Haar vader stond op. 'Laten we maar eens gaan. Het is al kwart voor vijf. Ik heb tegen Jordi's ouders gezegd dat we tegen zessen terug zouden zijn.'

Ze liepen naar de parkeerplaats, die inmiddels al een stuk leger was geworden.

Ineens rende Sanne naar het midden van de parkeerplaats. Met een flinke zwaai gooide ze haar tas in de lucht. 'Hoera!' riep ze luid. 'Het is herfstvakantie! Ik ga lekker naar huis!'

7

De eerste zoen

Sanne pakte een oude spijkerbroek uit haar kast. Ze moest daardoor onmiddellijk terugdenken aan het zomerkamp, want daar had ze hem voor het laatst gedragen. De broek was ontzettend vuil geworden in de bossen. Zelfs na een paar keer wassen zaten er nog steeds vlekken in. 'Die doe je niet meer naar school aan, hoor,' had haar moeder gezegd. 'Als je nog een keer op zomerkamp gaat, dan neem je hem maar weer mee.'

Maar nu kwam de broek prima van pas. Ze zou namelijk naar het park gaan, samen met Jordi, Lars, Marieke en Jessie. Oftewel, de club van vijf, zoals Marieke hen altijd noemde. In het park hadden ze een hut. Ze waren er al een paar maanden niet meer geweest. Het was dus de vraag hoe ze hem zouden aantreffen.

'Sanne!' hoorde ze van beneden roepen.

Dat kon alleen maar Jordi zijn. Ze keek uit het raam en zwaaide naar hem. 'Ik kom!' riep ze. Snel stopte ze een grote chocoladereep in haar rugtas.

Samen liepen ze naar het park. Om twee uur zou iedereen bij de hut zijn. Het was pas tien over halftwee, dus ze konden rustig lopen.

'Wat gaat de week toch snel,' merkte Sanne op. 'Het is al woensdag!'

Jordi knikte. 'Nog even en je moet weer terug naar het gastgezin.'

'Ik heb nog helemaal geen zin om daaraan te denken. Van mij had die vakantie veel langer mogen duren.'

Hij keek haar onderzoekend aan. 'Vind je het eigenlijk wel leuk in dat gezin?'

'Ja, best wel,' antwoordde Sanne. 'Maar het is toch logisch dat ik liever thuis ben?'

Jordi keek nadenkend voor zich uit. Hij had er zo zijn eigen ideeën over. Ze stikte van de heimwee, daar was hij van overtuigd. Ze wilde het alleen niet toegeven.

'Kijk, daar staat Lars!' Sanne wees naar de overkant van de weg.

Gedrieën liepen ze verder.

'Hebben jullie nog iets lekkers meegenomen?' vroeg Jordi.

'Ja,' antwoordde Lars. 'Ik heb een zak pinda's bij me.'

'En ik een chocoladereep.'

'Dat komt goed uit, want ik ben het vergeten.'

'Sukkel!' beet Sanne hem toe. 'Ik had me er juist zo op verheugd!'

'Al die lekkere dingen mag jij helemaal niet hebben,' reageerde Lars plagerig. 'Ik denk dat ik maar eens met meneer Verkerk ga praten.'

'Doe maar,' antwoordde Sanne uitdagend. 'Misschien heeft hij voor jou ook nog een paar goede adviezen.'

'Die is goed!' schaterde Jordi.

Lars glimlachte, maar niet van harte. Hij was dikker geworden en dat was duidelijk te zien. Het was niet moeilijk te bedenken hoe dat kwam. Hij zat vaak achter zijn computer en sporten deed hij nauwelijks meer. Vroeger had hij op voetbal gezeten, maar daar was hij mee gestopt.

'Kijk niet zo zuur,' zei Sanne. 'Het was maar een grapje, hoor.'

Ze sloegen een zijweg in. De hut lag goed verscholen achter een paar struiken. Niemand mocht weten dat ze hier een hut hadden gebouwd. Ze hadden elkaar plechtig beloofd om het bestaan daarvan geheim te houden.

Plotseling stak iemand z'n hoofd door de struiken.

'Hallo luitjes,' begroette Jessie hen. 'Welkom op het landgoed van de club van vijf.'

'Is Marieke er ook al?' vroeg Sanne.

'Ja, die veegt de hut schoon. Er is natuurlijk weer van alles naar binnen gewaaid.'

Toen de ergste rommel weg was, kropen ze de hut in. Marieke had al een paar vuilniszakken op de grond gelegd.

'Gelukkig lagen die dingen er nog,' zei Marieke. 'De grond is hartstikke vochtig.'

Ze gingen in een kring zitten en legden het meegebrachte eten in het midden. Naast de pinda's en de chocoladereep waren er zuurtjes en een zak popcorn.

'We hebben niets te drinken,' klaagde Jessie. 'Van pinda's en popcorn krijg ik altijd verschrikkelijke dorst.'

'Dan laat je ze maar staan,' zei Marieke.

Jessie grinnikte. 'Geen denken aan, daar zijn die dingen veel te lekker voor.'

In een mum van tijd was alles op.

'Stelletje vreetzakken,' merkte Jordi op. 'Ik heb bijna niets van die popcorn gehad.'

'Dat is je eigen schuld,' vond Jessie. 'Jij zat achter elkaar zuurtjes te eten.' Ze stond op. 'Ik krijg een koude kont. Zullen we een stukje gaan lopen?'

Lars veerde op. 'Goed plan. Ik heb het ook koud.' Hij keek naar de anderen. 'Gaan jullie mee?'

'Wij komen straks wel,' antwoordde Marieke.

Ze keken hoe Lars en Jessie de hut uit kropen.

'Daar gaan onze tortelduifjes,' zei Marieke. 'Lars is hartstikke gek op haar, maar volgens mij vindt Jessie hem ook wel leuk. Eerlijk gezegd snap ik niet wat ze in hem ziet.'

Sanne keek haar verbaasd aan. 'Jij bent toch ook verliefd op hem geweest?'

'Dat ben ik helemaal vergeten,' reageerde Marieke grijnzend. Ze ruimde de lege zakken op. 'Zo, nu ga ik ook naar buiten. Doei, tot straks!'

Ineens zaten ze er nog maar met z'n tweeën.

Sanne rilde.

'Heb je het zo koud?' vroeg Jordi bezorgd.

'Ja, behoorlijk.'

Hij trok haar naar zich toe.

Ze zat nu zo dicht bij hem dat ze zijn adem in haar hals voelde.

'Ik zal je een beetje opwarmen,' zei Jordi. Hij legde zijn armen stevig om haar heen.

'Lekker,' zei Sanne, en ze kroop nog wat dichter tegen hem aan.

'Sanne! Jordi!' hoorden ze Jessie roepen. 'Komen jullie nog? We gaan verstoppertje spelen!'

Sanne zuchtte. 'Alsof we daar nu zin in hebben.' Ze schoof snel een stukje opzij. Net op tijd, want Jessie kwam al binnen.

'Hé, stelletje luilakken, komt er nog wat van?' Jessie pakte Sannes hand en trok haar overeind. Hetzelfde deed ze bij Jordi. 'Schiet op! Lars is al begonnen met tellen.' Ze kroop de hut uit en wachtte op de anderen.

Jordi draaide zich om. Zijn gezicht was heel dicht bij dat van zijn vriendin.

Sanne voelde haar hart flink tekeergaan. Wilde hij haar een kus geven? Marieke had haar laatst nog gevraagd of ze al eens met Jordi had gezoend. Dat had ze nog niet, maar ooit zou dat natuurlijk gaan gebeuren...

Hij boog nog wat dichter naar haar toe.

Sanne hield haar adem in.

'Komt er nog wat van?' klonk het luid.

Jordi zuchtte. 'We moeten gaan, er zit niets anders op.'

Ze kropen naar buiten, waar Jessie hen ongeduldig opwachtte.

'Je moet niet zo schreeuwen!' snauwde hij haar toe.

'Ja, dat is heel irritant,' deed Sanne er nog een schepje bovenop.

Ze wierp Jessie een vernietigende blik toe.

Verbaasd keek Jessie van de een naar de ander. Waarom deden ze zo onvriendelijk tegen haar? Er was echter geen tijd om daar lang over na te denken. 'Kom op,' zei ze. 'We moeten ons verstoppen!' Ze rende weg, waarna Sanne en Jordi haar volgden.

In de slaapkamer van Marieke was het een gezellige drukte. De theeclub was eindelijk weer eens compleet. En dat werd gevierd! Sanne had slagroomsoesjes meegenomen en Patty een pak pennywafels.

Vroeger waren ze elke woensdagmiddag met z'n vijven geweest. Dan werd er theegedronken voordat ze naar turnles gingen.

Nu Sanne en Patty er niet meer bij konden zijn, was de groep behoorlijk uitgedund. Marieke, Jessie en Mirella kwamen nog steeds bij elkaar, maar het was minder leuk met z'n drieën.

Maar vandaag was het weer als vanouds. Ze zaten op gekleurde kussentjes. In het midden stond de theepot op een groot dienblad. Ook alle lekkernijen lagen daarop uitgestald.

'Wie wil er nog thee?' vroeg Marieke.

Iedereen wilde nog wel een tweede glas.

'Ik vind die herfstthee superlekker,' zei Mirella. 'Wat zou er allemaal in zitten?'

Marieke keek op de verpakking. 'Kaneel, zoethout, sinaasappel en citroen.'

Elke week probeerden ze een ander smaakje uit. Een paar dagen geleden had Patty het pakje herfstthee van haar moeder gekregen. Toen ze het pakje aan haar vriendinnen had laten zien, was er meteen een ruilhandel ontstaan. Ze wilden allemaal een zakje van die thee voor de eigen verzameling.

'Worden er op school nog theezakjes geruild?' vroeg Sanne.

'Soms,' antwoordde Jessie. 'Maar niet meer zo veel als vorig jaar.'

Sanne zette haar glas neer. 'Misschien moet ik er in mijn nieuwe klas eens mee beginnen.'

'Moet je doen,' zei Jessie. 'Misschien hebben ze daar andere zakjes dan hier. Als je die meeneemt, dan hebben wij ook weer wat te ruilen.'

'Wie gaat er nog iets leuks doen in het weekend?' wilde Mirella weten.

'Ik ga morgen naar een pretpark,' zei Sanne. 'Als afsluiting van de vakantie.'

'Gaaf, zeg!' reageerde Marieke enthousiast. 'Kunnen wij niet met je mee?'

'Ik ben bang van niet. Mijn ouders hebben al kaarten besteld.'

'O, jammer. En Jordi?'

'Die gaat ook niet mee. Maar gelukkig zie ik hem zondag nog.'

'Hebben jullie nog steeds verkering?' vroeg Mirella.

'Zeker weten!' antwoordde Sanne.

'Je had ze gisteren in de hut moeten zien zitten,' zei Marieke. 'Echt zo'n verliefd paartje.'

'Welke hut?' vroeg Mirella.

Verschrikt keek Marieke op. Ze had het er spontaan uitgeflapt. Wat nu? Hulpzoekend keek ze naar Sanne en Jessie.

'Ze bedoelt dat huisje bij die speeltuin,' zei Jessie. 'Dat noemen we altijd de hut.'

'Ja,' zei Sanne. 'Als je daarin gaat zitten en je bukt een beetje, dan ziet niemand je.'

Marieke slaakte een zucht van verlichting. Pff... Had ze bijna hun geheime hut verraden...

De rest van de tijd kletsten ze over van alles en nog wat.

Toen Mariekes moeder kwam vertellen dat het al vijf uur was, keken ze elkaar verbaasd aan.

'Niet normaal hoe snel die tijd gaat,' zei Mirella. 'Maar ik moet gaan, want ik zou om kwart over vijf thuis zijn.'

Ze kwamen allemaal overeind vanuit hun kussens.

'Zullen we in de kerstvakantie ook weer met z'n vijven bij elkaar komen?' vroeg Marieke.

'Doen we,' antwoordde Patty. 'Het was hartstikke gezellig!'

'We zijn in alle achtbanen geweest,' vertelde Sanne trots. 'Eén achtbaan ging zelfs over de kop. Eng, joh! Ik was blij toen we weer stilstonden.'

Jordi luisterde aandachtig naar Sannes verhalen. Hij was nog nooit in het nieuwe pretpark geweest. Maar nu hij dit allemaal hoorde, had hij best mee gewild.

'Daarna zijn we uit eten geweest,' vervolgde Sanne. 'Ik heb echt superlekker gegeten!'

Ze keek naar Jordi. 'Nu moet jij iets vertellen.'

'Ik zou niet weten waarover.'

'Je had vanochtend toch een voetbalwedstrijd?'

Jordi's gezicht betrok. 'Die hebben we verknald. We hebben hartstikke verloren.'

Sanne fronste haar wenkbrauwen. 'Hoe kan dat nou... Eerst wonnen jullie steeds, maar de laatste weken verliezen jullie alleen nog maar.'

'Er zijn een paar goede spelers weggegaan. En nu zitten we opgescheept met gozers die nauwelijks een bal kunnen raken. Echt zwaar balen!'

'Kun je Lars niet overhalen om terug te komen?' opperde Sanne.

'Ik weet het niet.'

'Volgens mij vindt hij het nog steeds hartstikke leuk. Toen we in het park waren, trapte hij tegen elke steen aan.'

Er werd geklopt, en Sannes vader stak zijn hoofd om de deur. 'Over een kwartier gaan we eten. Zal ik die koffer alvast mee naar beneden nemen?'

Zuchtend keek ze haar vader na.

'Je hebt geen zin om weg te gaan, hè,' zei Jordi.

Sanne trok haar schouders op. 'Aan de ene kant wel en aan de andere kant niet. Ik heb heel veel zin om weer te turnen. Dat heb ik best gemist de afgelopen week.'

'Turnen kun je hier ook.'

'Ja, maar niet in zo'n mooie zaal.' Ze stond op en liep doelloos de kamer rond.

Jordi liep naar haar toe. Hij pakte haar handen vast. 'Ik zal je missen,' zei hij zacht.

'Ik jou ook. Heel erg zelfs.'

Zwijgend stonden ze tegenover elkaar.

'Ik zal elke dag aan je denken.'

'Ik ook aan jou,' zei Sanne. 'En ik ga je heel veel sms'jes sturen.'

Zijn gezicht was vlak bij dat van haar. Sanne moest terugdenken aan afgelopen woensdag. In de hut hadden ze ook zo dicht bij elkaar gestaan.

'Mag ik je een kus geven?' vroeg Jordi zacht.

Sanne knikte. Op hetzelfde moment voelde ze zijn lippen op haar mond. Heel even maar... Daarna deden ze allebei een stapje naar achteren. Sannes gezicht was roze van kleur en ook Jordi had een flinke blos op zijn wangen.

'Een eh... een...' stotterde Jordi.

'Een afscheidszoen,' zei Sanne zacht.

'Ja,' herhaalde Jordi. 'Een afscheidszoen.'

Opnieuw stonden ze zwijgend tegenover elkaar. Geen van tweeën wist iets te zeggen.

'Zullen we naar beneden gaan?' vroeg Sanne zacht.

Zwijgend liepen ze de trap af.

Sanne had het gevoel alsof ze zweefde... De zachte lippen van Jordi voelde ze nog steeds op haar mond. Jordi had haar gezoend... Ze kon die zin wel uitschreeuwen!

Glimlachend keek Jordi om, alsof hij haar gedachten kon raden.

Sanne glimlachte terug. Ze voelde zich supergelukkig!

8
Het uitje

Leonie knipte het zoveelste plaatje uit. 'Hebben we er nu genoeg?'

'Nee,' antwoordde Sanne. 'Nog even doorgaan.'

Zuchtend bladerde Leonie in het tijdschrift. 'Dat vel hoeft toch niet helemaal volgeplakt te worden?'

'Nee, maar we hebben nu nog maar acht plaatjes. Heb je gezien hoe groot dat vel is?'

Ze waren druk bezig met het maken van een collage. De juf van handvaardigheid had grote vellen papier uitgedeeld. Met z'n tweeën moesten ze daar een collage op maken. Op verschillende plekken in het lokaal lag een stapel tijdschriften. 'Jullie mogen ze helemaal kapot knippen,' had juf Marga gezegd. 'Ze zijn toch oud.' De collage moest gaan over gezond leven, het onderwerp van de themaweek. Twee keer per jaar hadden ze zo'n week. Er werden dan geen gewone lessen gegeven. Alles wat ze deden, had met dat ene onderwerp te maken.

Gisterochtend was er een mevrouw van het Voedings-centrum in de klas geweest. Ze had van alles over gezonde voeding verteld. 's Middags hadden ze plannen bedacht voor een toneelstuk. Als afsluiting van de themaweek gingen ze dat vrijdag opvoeren. Dit gebeurde altijd in de aula, waar de hele school bij elkaar kwam. Helaas was er weinig tijd om te oefenen. Daarom hadden een paar kinderen voorgesteld om op woensdagmiddag extra te oefenen. Sanne en Leonie hadden meteen gezegd dat ze dan moesten turnen. Er was toen afgesproken dat zij vrijdag niet mee zouden spelen.

'Lukt het een beetje, dames?' vroeg juf Marga.

'Ja, best wel,' antwoordde Leonie. 'We vragen ons alleen af of het hele vel volgeplakt moet worden.'

'Nee hoor, je mag er best eigen teksten bij schrijven. Maar je kunt ook woorden of zinnen uit de tijdschriften knippen. Die kun je er dan tussen plakken.'

'Wil jij nou even knippen?' vroeg Leonie. 'Dan ga ik plakken.'

Sanne pakte een tijdschrift. 'Plaatjes over gezonde voeding hebben we nu wel genoeg. Ik wil nog wat plaatjes van sportende mensen of zo.'

Leonie grijnsde. 'Dan moet je vanmiddag een foto van jezelf maken.'

Sanne trok een vies gezicht. 'Ik heb helemaal geen zin in die gymles. Wat gingen we ook alweer doen?'

'Een behendigheidsparcours.'

'Pff... wat een woord. Wat is dat precies?'

'Je moet zo snel mogelijk allerlei opdrachten uitvoeren,' legde Leonie uit. 'Vijftig keer touwtjespringen, dertig keer opdrukken... Dat soort dingen. En dan staat er iemand bij om de tijd op te nemen.'

'Getver, dat lijkt me superirritant.'

Leonie knikte. 'Dat is het ook. En hoorde je wat de juf vanochtend zei? Dat we zo'n parcours gingen doen omdat het zo gezond is om te bewegen. Nou, zo gezond is het écht niet. Vorig jaar hebben we het ook een keer gedaan. Ik was de hele tijd buiten adem.'

'Leuk vooruitzicht, maar niet heus. Jammer dat we niet nog een keer kunnen spijbelen.'

'Ja, dat valt te veel op,' zei Leonie spijtig.

Sanne keek nadenkend voor zich uit. 'Ik zou best nog een keer willen winkelen. Na de herfstvakantie heb ik helemaal geen leuke dingen meer gedaan. De laatste weken heb ik alleen maar getraind, getraind en nog eens getraind.'

Leonie sprong op. 'Ik heb een idee!'

Sanne keek naar haar glinsterende ogen. 'Wat dan?'

'We gaan deze week gewoon nog een keertje winkelen.'

'Eh... Hoe wilde je dat doen?'

'Luister...' Leonie begon te fluisteren. 'We zeggen tegen meneer Verkerk dat we woensdagmiddag naar school moeten om voor dat toneelstuk te oefenen.'

Sanne keek haar verbaasd aan. 'Daar zouden we toch niet aan meedoen?'

'Nee, suffie, dat gebruiken we natuurlijk als smoesje. In werkelijkheid gaan we lekker de stad in.'

Sanne klakte met haar tong. 'Als hij daarachter komt, dan zijn we nog niet jarig.'

'Hij komt er niet achter. We moeten gewoon een slim plan bedenken.' Ze zag dat haar vriendin twijfelde. 'Weet je nog hoe leuk het de vorige keer was?'

'Ja, ik zou ook graag willen. Ik ben alleen zo bang dat we worden gesnapt.'

Leonie haalde haar schouders op. 'En wat dan nog? Wij hebben toch ook recht op vrije tijd?'

Plotseling zag Sanne er de humor van in. 'Het past eigenlijk wel in deze themaweek,' zei ze met een brede grijns op haar gezicht. 'Een middagje winkelen is tenslotte héél gezond. Oké, we doen het,' zei ze daarna. 'Maar dan wel voor de allerlaatste keer.'

Giechelend stapten ze in de bus.

'Waar gaat de reis heen?' vroeg de chauffeur.

'Naar het centrum,' antwoordde Sanne. 'We moeten in de buurt van het stadhuis zijn.'

De chauffeur stempelde de kaartjes. 'Gaan de dames lekker winkelen?'

'Ja,' antwoordde Sanne. 'Hoelang is het rijden?'

'Ongeveer tien minuten. Ik geef wel een seintje als jullie eruit moeten.'

Ze gingen helemaal achterin zitten.

'En nu maar hopen dat we geen bekenden tegenkomen,' zei Leonie.

Sanne keek schichtig om zich heen. 'We moeten heel goed opletten. Ik heb geen zin om gesnapt te worden.'

Leonie keek op haar horloge. 'De training is vijf minuten geleden begonnen. Meneer Verkerk moest eens weten dat we in de bus zitten.'

'Die denkt dat we nu met een toneelstukje bezig zijn,' reageerde Sanne grijnzend.

Gistermiddag hadden ze meneer Verkerk over het toneelstuk verteld. 'Dus jullie willen woensdagmiddag naar school toe,' was zijn reactie geweest. Nadenkend had hij voor zich uit gekeken.'Ik zal het voor deze keer toestaan, maar zoiets moet niet te vaak gebeuren,' had hij uiteindelijk geantwoord. Opgelucht hadden ze elkaar aangekeken. Niets stond hun spijbelavontuur nog in de weg.

'De volgende halte moeten jullie eruit,' riep de chauffeur.

Vrolijk verlieten ze de bus.

Sanne keek om zich heen. 'Wat een hoop mensen, zeg!'

'Dat komt omdat het woensdagmiddag is,' zei Leonie. 'Kijk maar naar alle kinderen. Die zijn nu allemaal vrij.'

'Behalve als ze een themaweek hebben,' zei Sanne droog.

'Zullen we eerst wat gaan drinken?' stelde Leonie voor.

'Goed plan. Ik heb best dorst gekregen.'

In de snackbar bestelden ze allebei een milkshake.

'We kunnen beter niet bij het raam gaan zitten,' bedacht Sanne. 'Dan vallen we veel te veel op.'

Ze liepen naar het achterste tafeltje in de zaak.

Sanne haalde haar mobiele telefoon tevoorschijn. 'Ik heb twee sms'jes gekregen,' zei ze. 'Eén van Marieke en één van Patty.'

'O, lees eens voor?'

'Marieke wenst ons veel plezier.' Grinnikend las Sanne het volgende sms'je. 'En Patty vraagt of ze meneer Verkerk de groeten van ons moet doen.'

'Stuur je haar een sms'je terug?' vroeg Leonie.

'Ja, wat zal ik antwoorden?'

'Dat ze hem moet vertellen dat we ons prima vermaken.'

Grijnzend typte Sanne de tekst in. 'Ik schrijf er ook bij dat we een heerlijke milkshake hebben gekocht, oké?'

'Ja, doe maar. Ze leest het toch pas na de training.'

Sanne drukte op de verzendknop. 'Zullen we gaan? Ik heb zin om te shoppen.'

Sanne en Leonie liepen de zoveelste winkel uit. Ze hadden al van alles bekeken: kleding, schoenen, sieraden... Ze hadden zelfs hoedjes gepast.

'Het is allemaal hartstikke duur,' klaagde Leonie. 'Ik heb heel weinig geld bij me.'

Sanne wees naar een blauw uithangbord. 'Kijk, de Euroshop! Dat is zo'n winkel waar alles maar één of twee euro kost.'

Het gezicht van Leonie klaarde meteen op. 'Laten we daar meteen heen gaan. Ik heb zin om leuke dingetjes te kopen.'

In de Euroshop keken ze hun ogen uit. Er lag van alles en nog wat in de rekken.

'Ik koop alleen maar dingen die één euro kosten,' zei Leonie. 'Dan kan ik vijf dingen uitzoeken.'

Sanne knikte instemmend. 'Dat ga ik ook doen. Wacht, dan pak ik even een mandje.'

Ze liepen de rekken langs.

'Wat vind je van deze glazen?' Sanne hield er één omhoog.

'Tof,' antwoordde Leonie. 'En hoe vind je deze?' Ze liet een felgekleurde mok zien. 'Twee voor een euro.'

In elk gangpad zagen ze weer andere leuke dingen. In het mandje lagen al verschillende spullen. Niet alleen theeglazen en mokken, maar ook een etui, geurpennen, een snoepblikje en een flesje parfum.

'Niet al je geld opmaken, hoor,' waarschuwde Sanne. 'Anders kunnen we helemaal niks lekkers meer kopen.'

Leonie knikte. 'Ik zoek nog één ding uit.'

Ze kwamen bij rekken die vol hingen met sieraden.

'Gaaf, zeg!' Sanne keek naar de kettingen. Ze pakte er één en deed hem om. Zoekend keek ze om zich heen. 'Ze hebben hier niet eens een spiegel.'

'Laat eens kijken?' Leonie knikte goedkeurend. 'Hartstikke leuk! Die kleuren passen precies bij jouw kleren.'

Sanne bekeek het prijskaartje. 'Ook maar één euro!' Ze stopte de ketting meteen in haar mandje.

Plotseling greep Leonie haar arm beet. 'Bukken!' siste ze.

Verbaasd liet Sanne zich op de grond zakken.

'Meester Ron is in de winkel,' fluisterde Leonie. 'Ik zag hem binnenkomen.'

Verschrikt keek Sanne haar aan. 'Van groep 5?'

Haar vriendin knikte. Voorzichtig gluurde ze tussen de rekken door.

'Zie je iets?'

'Ja, hij staat nog steeds in het eerste gangpad. We moeten hier zo snel mogelijk weg. Als hij ons hier ziet, vertelt hij dat vast aan onze juf.'

Gebukt slopen ze richting de uitgang.

Toen ze de kassa naderden, keek de verkoopster op. Verbaasd staarde ze naar de twee meisjes. Ze stond op en deed haar mond open om iets te zeggen.

Leonie, die vooropliep, legde snel haar wijsvinger op haar mond. Met gebaren probeerde ze duidelijk te maken dat ze niet gezien mochten worden.

De verkoopster sloot haar mond weer. Ze knikte dat ze de boodschap had begrepen.

Sanne keek naar de deur. Hoe moesten ze wegkomen? In de buurt van de deur stond niets waar ze zich achter konden verschuilen.

De vrouw achter de kassa kwam op hen aflopen. Ze bukte en begon wat dingen recht te zetten, zodat ze onopvallend met hen kon praten.

Sanne wees naar haar mandje. 'Wil je deze spullen voor ons bewaren? Dan komen we ze later ophalen.'

'Ja, ik zet het mandje wel even voor jullie apart.'

'We moeten hier weg,' fluisterde Leonie. 'Maar we mogen niet gezien worden.'

De vrouw glimlachte. 'Dat had ik al begrepen.'

Voorzichtig tuurde Sanne de zaak door. Ze zag dat meester Ron bij het gereedschap stond. Hopelijk bleef hij daar nog even staan...

De verkoopster volgde haar blik. 'Ik heb een idee,' zei ze zachtjes. 'Ik ga hem afleiden. Ondertussen kunnen jullie de winkel uitglippen.' Ze liep meteen weg.

'Kom,' zei Leonie. 'We gaan alvast zo dicht mogelijk naar de deur toe.'

'Dag meneer,' hoorden ze de verkoopster zeggen. 'Kan ik u misschien ergens mee helpen?'

Grijnzend keken ze elkaar aan.

Ze probeerden het gesprek te volgen. Het ging over stekkers, maar ze verstonden niet alles.

'Een stukje verder heb ik nog andere liggen,' zei de vrouw luid en duidelijk. 'Loopt u maar even met me mee.'

'Ze lopen naar achteren,' fluisterde Leonie. 'Zullen we?'

'Ja,' antwoordde Sanne. 'Kom!'

Ze vluchtten de winkel uit.

'Pff... Ik deed het zowat in m'n broek van de zenuwen.'

Leonie grinnikte. 'Wat dacht je van mij? Ik kreeg bijna een hartverzakking.'

Ze liepen een zijstraat in.

'Daar is een restaurant. Zullen we wat gaan drinken?'

'Graag,' antwoordde Leonie. 'Ik heb een onwijs droge keel. Maar we kunnen niet te lang blijven. Als we straks de spullen hebben opgehaald, moeten we snel de bus terug nemen.'

Ze bestelden allebei een cola.

'We hebben tenminste geen saaie middag gehad,' zei Sanne lachend.

'Zeg dat wel! Ik weet zeker dat we meer hebben beleefd dan Patty.'

Sanne hief haar glas omhoog. 'Proost!' zei ze. 'Op ons spijbelavontuur.'

'En op meester Ron,' vulde Leonie aan. 'Dat hij maar de goede stekkers mag vinden!'

9
Ruzie!

Sanne stapelde de borden op en bracht ze naar de keuken.

'Vond je het lekker?' vroeg mevrouw Berendse.

'Heerlijk! Rodekool is mijn lievelingsgroente.'

'Ik vind het zelf ook erg lekker,' zei mevrouw Berendse. 'Vooral met die appeltjes erbij.'

Sanne pakte de lege schalen, waarna ze het kleed van tafel haalde. 'Er zit nu wel een grote vlek op het tafelkleed,' zei ze.

'Dat is niet erg. In de was gaat die vlek er zo weer uit.'

Sanne hipte van haar ene voet op haar andere. Ze wist niet waar ze verder mee kon helpen.

'Je mag het aanrecht wel even afnemen,' zei mevrouw Berendse.

Sanne pakte een doekje en veegde alles netjes schoon. Ondertussen vertelde ze over de turntraining van vanmiddag. Er was een vogel de zaal in gevlogen. Geturnd hadden ze toen niet meer; ze waren veel te veel afgeleid door al dat gefladder. Uiteindelijk had meneer Verkerk alle ramen en deuren opengezet. Pas nadat de vogel naar buiten was gevlogen, hadden ze weer normaal kunnen turnen.

'En hoe gaat het met de themaweek?'

'Goed,' antwoordde Sanne. 'We hadden vandaag een huisarts op bezoek. Hij vertelde hoe je gezond kan blijven.'

'Was het interessant?'

'Ja, hij vertelde allerlei leuke verhalen. Wist u trouwens dat het eten van worteltjes goed voor de ogen is?' vervolgde Sanne, terwijl ze het doekje uitspoelde. 'En hij vertelde ook dingen die hij in zijn praktijk had meegemaakt. Er was een keer een man op zijn spreekuur gekomen. Toen die man tegenover hem zat, wist hij niet meer waarvoor hij was gekomen. Toen had de dokter tegen hem gezegd: "Dan zal ik u maar pilletjes tegen vergeetachtigheid voorschrijven." Dat was natuurlijk een grapje. Maar de man was opgesprongen en had gezegd: "Nu weet ik weer waarvoor ik kwam. Ik vergeet de laatste tijd zo veel, dokter." Komisch, hè? En hij had nog veel meer van zulke verhalen.'

Lachend zette mevrouw Berendse de borden in de vaatwasmachine. 'En wat gaan jullie morgen doen?'

'Dan gaan we het toneelstuk nog een keer oefenen,' antwoordde Sanne. 'Leonie en ik spelen niet mee, want wij konden gistermiddag niet oefenen. Nu moeten we voor de muziek en het licht zorgen.'

'Dat is minstens zo belangrijk,' meende mevrouw Berendse. 'Bovendien hadden jullie een goede reden om er gisteren niet te zijn. Juf Brenda weet heel goed dat jullie woensdagmiddag moeten turnen.'

Sanne knikte. Ze moest meteen weer denken aan het uitje van gisteren. Gelukkig was alles goed afgelopen. Ze waren teruggegaan naar de Euroshop om de uitgezochte spullen te kopen. Lachend had de verkoopster hun verhaal aangehoord. Volgens haar had meester Ron niets gemerkt. Hij had twee stekkers gekocht en had daarna de winkel verlaten.

Sanne liep de keuken uit. Ze voelde zich een beetje schuldig. Ook haar gastouders dachten dat ze gistermiddag gewoon naar de training was gegaan. Ze vond het vervelend om tegen hen te liegen. Maar ze durfde ook niet te vertellen dat ze de stad in was geweest.

'Heb je nog huiswerk?' informeerde mevrouw Berendse.

'Nee,' antwoordde Sanne. 'En dat komt goed uit, want Marieke heeft me vanmiddag gebeld. Ze vroeg of ik vanavond op msn kom.'

'Ik kan me voorstellen dat je dat liever doet dan huiswerk maken,' zei mevrouw Berendse lachend. 'Jullie hebben vast weer een hoop te bespreken.'

Nathalie sprong op. 'Dat gaat mooi niet door!' beet ze Sanne toe. 'Gisteren heb jij ook al achter de computer gezeten. Nu is het mijn beurt!'

Verbaasd keek Sanne haar aan. Waarom reageerde ze zo fel?

'Een beetje minder kan ook wel, Nathalie,' merkte haar vader op.

Verontwaardigd stampte Nathalie op de grond. 'Ik mag toch wel voor mijn rechten opkomen?'

'Ja, maar niet op deze manier. Bovendien heb jij niet het recht om anderen zo af te snauwen.'

'En jullie hebben niet het recht om zo te zeuren. Daar word ik helemaal gek van, als jullie dat maar weten!'

'Wij zeuren niet,' antwoordde haar moeder. 'Sanne gaf

als eerste aan dat ze wilde chatten. Dan is het logisch dat jij even moet wachten.'

Nathalie liep met grote passen naar de deur. 'Ik ga naar mijn kamer! Denk maar niet dat ik nog beneden kom. Ik ben jullie hartstikke zat!'

Sanne keek in haar mailbox. Er stonden geen nieuwe berichten in. Teleurgesteld keek ze naar het lege scherm. Ze had gehoopt op een paar leuke mailtjes, maar de laatste tijd kreeg ze er veel minder. De eerste weken dat ze in het gastgezin woonde, had ze er heel wat meer ontvangen. Vooral van haar vriendinnen, die allemaal wilden weten hoe het nieuwe leventje haar beviel. Nu had ze alleen nog regelmatig contact met Marieke, Jessie en Mirella. En natuurlijk met Jordi, want het was nog steeds dik aan. Elke dag stuurden ze elkaar sms'jes. Ook belden ze elkaar, maar niet meer zo veel als vroeger. Ze hadden allebei een hoge telefoonrekening ontvangen, en daar waren ze behoorlijk van geschrokken.

Voor de zekerheid keek Sanne nog even op msn. Geen van haar vriendinnen was online. Ze had net nog even met Marieke gechat. Helaas was hun gesprek van korte duur geweest. Marieke had plaats moeten maken voor haar vader, die de computer nodig had voor zijn werk.

Besluiteloos keek Sanne naar het toetsenbord. Wat moest ze nu doen? Wachten tot iemand binnenkwam op msn? Ze wilde dolgraag haar verhaal kwijt...

Ineens hoorde ze een deur opengaan, en even later klonken voetstappen in de gang. Ze wist meteen dat het Nathalie was. Ze zou toch niet de hobbykamer in komen? Gespannen luisterde Sanne naar alle geluiden.

Nathalie liep de trap af, dat was duidelijk te horen. Wat ging ze doen? Ze had gezegd dat ze niet meer beneden zou komen.

Sanne keek nogmaals in haar mailbox. Leeg. Dan maar een beetje surfen op internet. Een jongen uit haar klas had een leuke website ontdekt. Er was inderdaad van alles te doen op die site. Ze loste verschillende puzzels op, waarna ze meedeed aan een prijsvraag, waarmee je allerlei prijzen kon winnen. Terwijl ze daarmee bezig was, hoorde ze geschreeuw. Sanne spitste haar oren. Dat was Nathalie, dat was zo duidelijk als wat. Ze liep de gang op. 'Ik mag nooit wat!' hoorde ze haar roepen. 'En Sanne mag alles. Jullie trekken haar hartstikke voor!'

Sannes gezicht verstrakte. Het gesprek ging over haar! Zou ze ook naar beneden gaan? Nee, dat leek haar niet verstandig. Ze besloot te blijven staan, alhoewel het niet erg netjes was om een gesprek af te luisteren. Maar in dit geval was dat niet erg, bedacht ze zich, want zo te horen ging het over haar.

'Sinds zij hier in huis is, zijn er steeds problemen,' vervolgde Nathalie. 'Wat mij betreft had ze weg mogen blijven!'

Sanne beet op haar lip. Wat een afschuwelijke dingen werden er over haar gezegd!

Nu waren haar gastouders aan het woord. Ze verstond niet precies wat ze zeiden, want zij spraken veel zachter.

'Dat kan me niets schelen!' riep Nathalie vervolgens. De deur van de huiskamer ging open.

Sanne deinsde achteruit. Ze mocht hier beslist niet gezien worden! Snel schoot ze de hobbykamer weer in. Ze nam plaats achter de computer, maar raakte het toetsenbord niet aan. Met gefronste wenkbrauwen staarde ze voor zich uit. Door haar heerste er al weken een gespannen sfeer in huis. En door haar had Nathalie nu herrie met haar ouders gehad. Omdat zij zo nodig wilde msn'en met haar vriendinnen...

Sanne werd opgeschrikt door een flinke klap. Nathalie had haar slaapkamerdeur dichtgesmeten. De ramen trilden ervan. Ze zette de computer uit, chatten was wel het laatste waar ze nu zin in had. Zachtjes liep ze door de gang. Stel je voor dat Nathalie haar kamer uit zou komen...

In haar slaapkamer ging Sanne op bed liggen. Ze sloot haar ogen. Wat deed ze hier eigenlijk? Ze wilde topturnster worden. Maar dat betekende dat ze nog jaren in een gastgezin moest verblijven. Ver weg van haar ouders en haar broertje. En ver weg van Jordi en haar vriendinnen. Wilde ze dat wel? Had ze dat er allemaal voor over?

Sanne opende haar ogen en staarde naar het plafond. Haar gastouders waren best aardig, maar met Nathalie klikte het gewoon niet. Nathalie vond haar een sta-in-de-weg, dat liet ze duidelijk merken. En nu had Nathalie ook nog eens ruzie met haar ouders. Vanwege haar, dat was nog het ergste van alles. De tranen sprongen haar in de ogen. Ze voelde zich ontzettend schuldig. Het was nooit haar bedoeling geweest om de sfeer in huis te verpesten.

Er zat maar één ding op: ze moest weg, en wel zo snel mogelijk! Ze kon hier écht niet meer blijven. Dat zou voor niemand goed zijn; niet voor haar, maar ook niet voor haar gastouders en voor Nathalie. Dan zouden er morgen wéér spanningen zijn. Dan zouden ze wéér ruzie maken om de tv of de computer. Nee, dat wilde ze beslist niet meer.

Sanne sprong op. Ze pakte de koffer die onder haar bed lag. Ze griste wat kleding uit haar kast en propte die erin. Daarna pakte ze wat toiletartikelen en twee handdoeken. Ook haar pyjama haalde ze onder haar kussen vandaan.

Gejaagd keek Sanne de kamer rond. Had ze alles? Ze had geen idee wat ze allemaal mee moest nemen. O ja, geld! Ze pakte haar portemonnee. Daarna wierp ze nog een blik in haar kledingkast. Die regenjas... Ja, die was ook wel handig. Ze keek op haar horloge. Bijna negen uur. Waar moest ze naartoe? Dat wist ze nog niet, maar dat bedacht ze later wel. Eerst moest ze ongezien het huis uit komen.

Zachtjes deed Sanne de deur open. Ze bleef heel even staan om te luisteren, maar ze hoorde geen verdachte geluiden. Met de koffer in haar hand sloop ze de trap af. Ze hoopte vurig dat de deur van de huiskamer dicht bleef. Nog vijf treden, nog vier, nog drie...

Snel glipte ze de gang in en pakte haar jas van de kapstok. Nu maar hopen dat de voordeur nog niet op het nachtslot zat... Voorzichtig probeerde ze de deur open te maken. En jawel... De deur ging open.

Sanne twijfelde geen moment meer. Ze stapte naar buiten en trok zacht de deur achter zich dicht. Daarna begon ze te rennen alsof haar leven ervan afhing.

10

De zwerftocht

Hijgend leunde Sanne tegen een muurtje. Ze was pas een paar straten verder, maar ze had nu al geen adem meer. Ze zette haar koffer op de grond. Pff... dat ding was behoorlijk zwaar.

Sanne keek om zich heen. Er waren nauwelijks mensen op straat. Dat was ook niet zo verwonderlijk, want het was koud en donker. Echt een avond om lekker binnen te zitten. Ze zuchtte. Waar moest ze naartoe? Ze kon moeilijk de hele nacht tegen dit muurtje blijven staan. Misschien moest ze maar naar het winkelcentrum gaan. Daar kon ze vast wel een slaapplek vinden. Ze had een deken mee moeten nemen, bedacht ze zich. Het was veel te koud om zonder deken te gaan liggen. Vooral als ze buiten haar slaapplek had. Op het station had ze wel eens een zwerver zien liggen. Met verschrikte ogen had ze toen naar hem gekeken. En nu zwierf ze zelf rond...

Sanne wreef over haar voorhoofd. Ze had hoofdpijn, en niet zo'n beetje ook. Had ze er wel goed aan gedaan om weg te lopen? Nee, zei een stemmetje diep vanbinnen. Maar wat had ze dan moeten doen? Bij haar gastgezin kon ze onmogelijk blijven... Sanne pakte haar koffer weer van de grond. Ze besloot niet langer te gaan rennen, want dat vond ze te vermoeiend. Bovendien viel ze dan veel te veel op.

In een stevig tempo liep ze in de richting van het winkelcentrum. Gelukkig waren de straten goed verlicht, waardoor ze precies wist waar ze heen moest. Ze had deze route al vaak gefietst. Maar nu ze moest lopen, leek het ineens een stuk verder. Ze wisselde de koffer nog eens van hand. Een rugtas was toch wel een stuk makkelijker geweest!

Tien minuten later kwam het winkelcentrum eindelijk in zicht. Sanne begon sneller te lopen. Toen ze de eerste winkels bereikte, besloot ze naar het kunstwerk te gaan waar ze met Leonie was geweest. Tussen die grote buizen stond ze tenminste een beetje beschut.

Sanne liep door een van de winkelstraten. Ze voelde zich hier een stuk minder op haar gemak. Er was niemand te zien en de winkels waren niet of nauwelijks verlicht. Schichtig keek ze om zich heen. Stel je voor dat er ineens een enge man achter haar aan kwam...

Sanne versnelde haar pas en ging de hoek om. Geschrokken keek ze voor zich uit. Ze stond oog in oog met een groepje opgeschoten jongens. Ze twijfelde. Zou ze doorlopen of wegrennen?

Een van de jongens had haar al gezien. 'Dag meisje, wat doe jij zo laat op straat?'

Angstig keek ze hem aan. 'Ik, eh... ik...' stamelde ze.

Een andere jongen lachte. 'Je maakt haar bang, zie je dat niet?'

'Ik mag toch wel vragen wat ze hier te zoeken heeft?' Hij deed een paar stappen naar voren. 'En wat zit er in dat rode koffertje?'

'Niets,' antwoordde Sanne. Ze kneep het handvat bijna fijn. Hij mocht de koffer beslist niet van haar afpakken.

Zijn vrienden kwamen ook wat dichterbij.

'Ik ben heel benieuwd,' zei een van hen. Hij stak zijn hand naar haar uit. 'Laat eens kijken?'

Ze deinsde achteruit.

'Je krijgt hem heus wel terug.'

Sanne keek naar de vier jongens tegenover haar. Ze voelde zich misselijk worden van angst. Ze stond op het punt om haar koffer af te geven, maar ineens bedacht ze zich. 'Laat me met rust!' riep ze. Ze draaide zich om en zette het op een lopen.

'Angsthaas!' riep een van de jongens haar na. 'Ga maar weer snel naar je moeder toe!'

Aan het einde van de straat stond ze stil. Hijgend keek ze achterom. Gelukkig waren ze haar niet achterna gerend. Ze keek op haar horloge. Kwart voor tien. Normaal gesproken lag ze dan al in bed! Sanne probeerde na te denken, maar het leek wel of haar hersenen niet meer goed werkten. Ze had het inmiddels ijskoud gekregen. Misschien was haar hoofd ook wel verdoofd door de kou...

Ze liep maar weer verder. Als ze te lang bleef staan, dan zou ze het alleen maar kouder krijgen. Ineens dacht ze aan het restaurant dat hier ergens moest zijn. Een kop warme thee zou er wel in gaan! Sanne begon meteen harder te lopen.

Niet veel later stond ze voor de ingang van het restaurant. Ze aarzelde geen moment en ging naar binnen. Alle gasten keken op. Ze keken naar het meisje met de rode koffer in haar handen. Een serveerster fronste haar wenkbrauwen, maar ze zei niets.

'Hallo,' zei Sanne aarzelend. Ze durfde nauwelijks op te kijken. 'Ik eh... ik moet even naar het toilet.' Ze schoot tussen de tafeltjes door en vluchtte de toiletruimte in.

De gasten keken elkaar verbaasd aan. Was dat meisje alleen of kwamen haar ouders straks ook nog binnen?

Sanne stond op het punt om de toiletruimte te verlaten. Maar op het moment dat ze het slot wilde omdraaien, bedacht ze zich. Ze dacht aan de mensen die in het restaurant zaten. Die mensen hadden haar allemaal nieuwsgierig aangekeken, dat had ze heus wel gemerkt. Daarom zag ze er als een berg tegenop om terug te lopen. Die mensen hadden vast door dat ze was weggelopen. Dat kwam door die stomme koffer. Ze had dat ding nooit mee moeten nemen!

Vertwijfeld stond Sanne met de deurkruk in haar handen. Wat moest ze nu doen? Ze kon hier moeilijk de hele tijd blijven staan. Ineens dacht ze aan haar mobiele telefoon. Als het goed was, had ze die meegenomen. Waarom dacht ze daar nu pas aan? Sanne pakte het mobieltje uit haar koffer. Wie zou ze bellen? Niet haar ouders, want die zouden alleen maar ongerust worden. En Jordi ook niet. Hij kon nu toch niets voor haar doen. Ze kon beter iemand in de buurt bellen. Misschien kon ze vannacht wel bij Patty slapen. Ze toetste haar nummer in, maar ze kreeg Patty niet te pakken. Waarschijnlijk lag ze al in bed.

Sanne dacht na. Zou Jennifer nog op zijn? Ze besloot haar te bellen. Tenslotte was Jennifer al wat ouder, dus ze bleef vast wat langer op. Gespannen hield ze het mobieltje tegen haar oor.

'Met Jennifer,' klonk het aan de andere kant van de lijn.

Ze slaakte een zucht van verlichting. 'Hoi, met Sanne.'

'Hé, Sanne!' riep Jennifer verrast. 'Leuk dat je belt! Lig je nog niet in bed?'

'Eh... nee,' antwoordde Sanne timide. Ze wilde nog veel meer zeggen, maar haar adem stokte.

'Sanne, ben je er nog?'

'Ja. Ik, eh... ik moet je iets vertellen.'

'Heb je een probleem?' vroeg Jennifer ongerust. 'Je klinkt zo depri.'

Ineens rolden de tranen over Sannes wangen.

'Sanne, wat is er? Kan ik je helpen?'

'Ik weet het niet. Ik ben... ik ben...' Ze snikte het uit.

'Waar zit je nu?' vroeg Jennifer angstig. Ze kreeg geen antwoord. Het leek wel of Sanne niet meer kon stoppen met huilen.

'Ben je thuis?'

'N-nee,' antwoordde Sanne hakkelend. 'In een res... restaurant.'

'Welk restaurant?'

'Dat w-weet ik n-niet.'

Jennifer zuchtte, maar ze gaf niet op. Ze vroeg net zolang door tot ze wist vanuit welk restaurant Sanne belde.

Sanne was inmiddels al een beetje gekalmeerd. 'Ik ben weggelopen,' vertrouwde ze haar vriendin toe. 'Maar het is eng om hierbuiten te lopen.'

'Dat moet je ook niet meer doen, sufferd. Blijf in het restaurant, Sanne. Dan kom ik naar je toe.'

'Meen je dat?'

'Natuurlijk! Dacht je dat ik mijn vriendin over straat laat zwerven?'

Nu lachte Sanne door haar tranen heen. Ze voelde zich ontzettend opgelucht. Het vooruitzicht om straks weer naar buiten te moeten, had ze verschrikkelijk gevonden.

'Maar ik neem wel een van m'n gastouders mee,' zei Jennifer. 'Ik heb weinig zin om in m'n eentje de straat op te gaan. Bovendien mag ik niet eens meer alleen weg. Het is al bijna halfelf, weet je dat?'

Sanne protesteerde niet. Het interesseerde haar ineens weinig wie Jennifer meenam. Als ze maar niet meer door dat winkelcentrum hoefde te dwalen.

'En niet stiekem weglopen, hè,' waarschuwde Jennifer.

Nadat Sanne dat plechtig had beloofd, beëindigden ze het telefoongesprek.

Opgelucht stopte ze haar mobieltje weer in de koffer. Jennifer was onderweg, wat een geruststellende gedachte! Ze raapte al haar moed bij elkaar en draaide het slot open. Met de koffer in haar hand verliet ze de toiletruimte.

Toen Sanne het restaurant in liep, zag ze dat verschillende mensen elkaar aanstootten. Al snel was alle aandacht op haar gericht. Sanne voelde het bloed naar haar wangen stijgen. Ze hadden haar vast horen huilen. Het restaurant was behoorlijk gevuld. Er was slechts één tafeltje vrij, maar dat stond midden in de zaak. Ze had liever ergens aan de zijkant gezeten.

Een serveerster kwam op haar aflopen. 'Kan ik je helpen?' vroeg ze vriendelijk.

'Ja, ik wilde eigenlijk wat drinken.'

De vrouw deed net of ze Sannes rode ogen niet opmerkte. 'En je wilt natuurlijk niet aan dat middelste tafeltje zitten.'

Sanne schudde haar hoofd. Ze was blij dat die mevrouw dat begreep.

'Weet je wat? Kom maar gezellig aan de bar zitten.'

Dankbaar liep Sanne achter haar aan. Ze klom op een hoge barkruk, met haar rug naar de andere bezoekers toe.

Achter de bar stond de bazin van het restaurant. 'Wil je wat drinken?' vroeg ze vriendelijk.

'Ja, hebt u ook thee?'

'Jazeker. Ik ga het voor je klaarmaken.'

Even later stond er een dampend glas thee voor haar neus.

De bazin boog zich wat voorover. 'Je kunt beter hier zitten dan buiten lopen, vind je niet?'

Sanne knikte verlegen.

'Ben je van huis weggelopen?'

'Ja,' antwoordde ze zacht.

'Dan ben ik blij dat je nu hier zit. Meisjes van jouw leeftijd moeten 's avonds niet alleen over straat lopen.'

Meteen sprongen de tranen weer in Sannes ogen.

De bazin gaf haar een papieren zakdoekje. 'Drink nog wat van je thee, daar word je lekker warm van.'

Nadat Sanne een paar slokjes had genomen, vertelde ze dat een van haar turnvriendinnen onderweg was.

De vrouw achter de bar knikte goedkeurend. 'Het is goed dat je haar hebt gebeld. Daar heb je vriendinnen voor, moet je maar denken.'

Sanne vertelde wat ze die avond allemaal had meege-maakt.

'Ik denk niet dat die jongens je echt kwaad wilden doen,' zei de bazin, nadat ze had verteld wat haar in het winkelcentrum was overkomen. 'Maar het is goed dat je straks wordt opgehaald. Er lopen hier 's avonds nu een-maal vreemde snoeshanen rond.'

Sanne dronk de rest van haar thee op.

'Hebben veel mensen mij horen huilen?' vroeg ze be-zorgd.

De bazin glimlachte. 'Dat denk ik niet. Er is veel te veel geroezemoes in het restaurant. Ik hoorde het toeval-lig omdat ik net langs de toiletruimte liep.'

Sanne draaide zich om. Niemand keek meer haar kant op, constateerde ze tevreden. Ze zat hier op een prima plek.

Er werd nog wat heet water bijgeschonken in haar glas. 'Ik moet je een beetje bezighouden, anders ga je er mis-schien vandoor,' zei de vrouw met een knipoog.

'De thee smaakt hier veel te lekker,' reageerde Sanne grijnzend, en ze dompelde een theezakje in haar glas.

Op dat moment ging de deur open. Jennifer kwam binnen, gevolgd door mevrouw Haanstra.

'Daar zijn ze!' Sanne sprong van haar barkruk af.

Jennifer omhelsde haar vriendin. 'Wil je me nooit meer zo laten schrikken?'

Mevrouw Haanstra drukte Sanne stevig tegen zich aan. 'Het komt heus wel weer goed,' stelde ze haar gerust. Dankbaar keek ze de vrouw achter de bar aan. 'Ik zie dat u haar een beetje hebt opgevangen.'

'Ja, en ik ben blij dat ze nu in goede handen is. Dat is een hele geruststelling voor me.'

'Laten we maar snel naar huis gaan,' zei mevrouw Haanstra. 'Het is hoog tijd om naar bed te gaan.'

Sanne keek haar vragend aan. Waar zou zij vannacht moeten slapen?

'Jij gaat met ons mee,' verduidelijkte mevrouw Haanstra. 'En je slaapt vannacht bij Jennifer op de kamer.'

Sanne haalde opgelucht adem. 'Maar vinden mijn gastouders dat wel goed?'

'Ja, ik heb ze net gesproken.'

'Waren ze boos?' vroeg Sanne zacht.

'Nee, ze zijn heel blij dat je terecht bent. Ze waren ontzettend bezorgd toen ze merkten dat je verdwenen was. Nathalie wilde zelfs een zoekactie op touw zetten.'

Sanne glimlachte. Dat had ze helemaal niet van Nathalie verwacht!

Toen ze buiten stonden, sloeg Sanne van schrik haar hand voor haar mond. 'M'n koffer... Wacht even, ik ben m'n koffer vergeten!'

Even later kwam ze met haar rode koffer naar buiten.

'Heb je de hele tijd met dat ding lopen slepen?' vroeg Jennifer.

Sanne knikte.

'Je bent niet wijs,' zei haar vriendin. 'Geef maar hier dat ding. Jij hebt hem lang genoeg gedragen.'

Mevrouw Haanstra sloeg haar arm om Sannes schouder.

Sanne keek haar aan en glimlachte. Ze was blij dat haar angstige avontuur voorbij was!

11

Twijfels

Met een slaperige blik keek Sanne om zich heen. Waar was ze? Met beide handen wreef ze in haar ogen. Toen wist ze het weer: ze was in de slaapkamer van Jennifer.

Nadat ze gisteravond thuis waren gekomen, waren ze meteen naar boven gegaan. Sanne was languit op het logeerbed geploft dat meneer Haanstra voor haar had opgemaakt. Ze hadden nog heel even gepraat, maar al snel waren ze in slaap gevallen.

Sanne pakte haar horloge. Kwart voor zes. Pff... ze was veel te vroeg wakker geworden. Zou ze nog een uurtje kunnen slapen? Ze draaide zich om en sloot haar ogen. Niet veel later droomde ze van koffers die door het winkelcentrum vlogen. De mensen moesten bukken om ze niet tegen hun hoofd te krijgen. 'Help, de koffers zijn weggevlogen!' riep een politieagent. 'Pak ze, mensen!' Iedereen probeerde ze op te vangen, maar dat lukte niemand. De koffers vlogen allemaal een restaurant in. Ze dansten om de bar heen. 'Willen jullie een kopje thee?' vroeg de vrouw achter de bar. 'Graag!' antwoordden alle koffers in koor.

'Wakker worden, slaapkop!' Jennifer schudde haar vriendin door elkaar.

Sanne zat meteen rechtop in haar bed. 'O, ben jij het.'

'Ja, mag het? Of had je liever dat Jordi je wakker had gekust?'

'Nou, als dát zou kunnen...' Sanne rekte zich uit. 'Ik heb net zo maf gedroomd, joh.' Ze vertelde haar droom over de vliegende koffers.

Jennifer glimlachte. 'Ik ben heel blij dat je me gister-avond hebt gebeld,' zei ze. 'Stel je voor dat je in het win-kelcentrum was gebleven.'

Sanne rilde. 'Ik moet er niet aan denken! Weet je dat ik niet eens een deken bij me had?'

'Dan was je misschien doodgegaan van de kou,' rea-geerde Jennifer geschrokken. 'Alhoewel... je hebt van die warmteroosters in het winkelcentrum. Daar liggen zwervers ook vaak op.'

Er werd op de deur geklopt.

Mevrouw Haanstra kwam binnen met een groot dien-blad in haar handen. 'Goedemorgen, dames. Hebben jul-lie lekker geslapen?'

'Als een roos,' antwoordde Jennifer.

'Dat dacht ik al.' Ze liep naar het bed van Sanne. 'Voor jou heb ik een verrassing. Jij mag nog even blijven lig-gen.'

Sanne keek haar verbaasd aan. 'Ik heb net je ouders aan de lijn gehad. We zijn het erover eens dat je niet naar school hoeft. Het lijkt ons beter dat je vandaag lekker uit-rust. De turntraining moet je ook maar een keertje over-slaan.'

'Mazzelaar!' riep Jennifer.

Sanne glimlachte. Ze was er best blij mee, want ze voelde zich niet bepaald fit. En ook haar hoofdpijn was nog niet helemaal over. 'Wat zeiden m'n ouders ervan dat ik nu hier ben?'

'Ze zijn heel blij dat het goed is afgelopen. Ik heb gezegd dat jij ze vanmiddag nog wel even belt. En morgen komen ze je na de turntraining ophalen. Eigenlijk waren Patty's ouders aan de beurt om te rijden, maar ze hebben geruild.'

'En hoe moet dat nou met dat toneelstuk? Leonie en ik zouden samen voor de muziek en het licht zorgen.'

'Dat moet Leonie dan maar alleen doen,' zei mevrouw Haanstra vastberaden. 'Ik ga meteen even je gastouders bellen. Zij kunnen jou dan afmelden op school.' Ze liep naar de deur. 'Vergeet je ontbijt niet. En probeer daarna nog maar wat te slapen. Kijk zelf maar wanneer je eruit komt.'

'Oké, heel erg bedankt!' riep Sanne haar na.

Jennifer deed een paar boeken in haar rugtas. Ze wees naar een van haar kasten. 'Daarin liggen nog een paar leuke dvd's. Als je vanmiddag niets te doen hebt, dan pak je er maar een.'

'Ben jij niet hartstikke moe?' vroeg Sanne haar. 'Jij bent ook heel laat naar bed gegaan.'

'Valt wel mee. Maar ik kan echt niet thuisblijven, want ik heb een proefwerk.'

'O, dat is balen! Hoe laat heb je dat proefwerk?'

'Om elf uur.'

'Nou, dan zal ik voor je duimen.'

Patty pakte haar tas van het bureau. 'Ik moet nu echt gaan, anders kom ik te laat. Rust lekker uit, Sanne. Ik zie je vanmiddag!'

Sanne zat op de bank. Ze bladerde een tijdschrift door, maar haar gedachten waren ergens anders. Vlak voor het avondeten had ze Jordi gesproken. Hij had allerlei lieve dingen door de telefoon gezegd. Ze had hem moeten beloven nooit meer weg te lopen. Pas nadat ze dat drie keer had herhaald, was hij gerustgesteld.

Ze had een lekker lui dagje achter de rug. Om kwart over tien was ze pas haar bed uit gekomen. Na een heerlijk schuimbad had ze wat gelezen, en daarna was ze achter de computer gekropen. Geen van haar vriendinnen was online. Omdat ze toch haar verhaal kwijt wilde, had ze Marieke een lange e-mail gestuurd. Na de lunch was ze met mevrouw Haanstra een stukje gaan lopen. Sanne had alles verteld wat haar dwarszat, en dat had haar enorm opgelucht. Daarna waren ze naar huis gegaan en hadden ze samen theegedronken. Vervolgens had ze naar huis gebeld. O, wat was ze blij geweest haar moeders stem te horen!

'Sanne,' klonk het vanuit de keuken. 'Wat wil je straks drinken: koffie, thee of melk?'

'Doe maar melk.' Ze liep naar de keuken, waar Jennifer bezig was met koffiezetten. 'Heb je Leonie eigenlijk nog gesproken?'

'Ja,' antwoordde Jennifer. 'En Patty ook. Ze wilden alles weten, maar ik heb heel weinig verteld.'

Sanne keek haar dankbaar aan.

'Maar ik weet zeker dat je morgen een heleboel vragen krijgt.'

Sanne haalde haar schouders op. 'Dat kan me niets schelen!'

Jennifer geloofde haar maar half. 'Je moet gewoon zeggen dat alles is opgelost.'

De telefoon rinkelde.

'Sanne, voor jou!' riep meneer Haanstra.

Ze keken elkaar veelbetekenend aan.

'Je kunt ook zeggen dat je er verder niet over wilt praten.'

Sanne knikte, en ze liep de keuken uit. Wie zou het zijn? Misschien was het Leonie of Patty. Maar het kon natuurlijk ook Marieke zijn.

Ze pakte de telefoon. 'Met Sanne.'

'Hoi, met Nathalie,' klonk het aan de andere kant van de lijn.

Sanne verschoot van kleur. Nathalie was wel de laatste die ze had verwacht!

'Hoe is het met je?'

'Goed,' antwoordde Sanne.

'Ik, eh... Ik wilde even zeggen dat het me spijt van die ruzie.'

Het bleef even stil.

'Ik ben me rot geschrokken toen je ineens weg was.'

'O,' was Sannes reactie.

'Je moet niet denken dat ik een hekel aan je heb,' vervolgde Nathalie.

Sanne zocht naar woorden, maar vond ze niet direct.

'Dat wilde ik je even zeggen. Slaap lekker voor straks.'

'Jij ook,' zei Sanne. 'Enne... bedankt voor het bellen.'

'Geen dank. Doei!'

De verbinding werd verbroken.

'Wie was dat?' wilde Jennifer weten.

'Nathalie.'

Jennifer zette grote ogen op. 'Meen je dat?'

'Ja, ze vroeg hoe het met me ging. Ze zei dat ze heel erg was geschrokken.'

'Tjonge... De wonderen zijn de wereld nog niet uit.'

Meneer Haanstra keek op van zijn krant. 'Toch aardig dat ze je heeft gebeld.'

Sanne knikte. Verlangend keek ze naar de computer, die in een hoekje van de huiskamer stond. 'Mag ik nog even mijn e-mail checken?' vroeg ze.

'Tuurlijk,' antwoordde meneer Haanstra.

'Ze verwacht liefdesbrieven,' merkte Jennifer plagend op.

Sanne stak haar tong uit. Daarna liep ze naar de computer en zette hem aan. Ze had drie nieuwe mailtjes, waaronder een van haar beste vriendin. Marieke stond pal achter haar, zo bleek uit haar woorden. Het deed Sanne goed om dát te lezen.

Jennifer had gelijk: de volgende dag werd Sanne bestookt met vragen. Het begon al in de kleedkamer. Alle meisjes uit haar turnploeg wilden weten waarom ze er gisteren niet was. Sanne gaf steeds hetzelfde antwoord, namelijk dat ze zich niet zo lekker had gevoeld. Alleen Patty vertelde ze wat meer. Veel tijd om te kletsen hadden ze echter niet. Vanuit de zaal schreeuwde Stefan dat hij wilde beginnen. De assistent-trainer begon altijd stipt op tijd met de warming-up.

Toen Sanne de turnzaal in liep, knikte meneer Verkerk haar vriendelijk toe. Opgelucht liep ze naar haar plek. Ze wist dat haar ouders hem gisteren hadden gebeld. Hij wist dus precies wat er met haar aan de hand was. Haar ouders zouden na de training met hem gaan praten.

Sanne werkte haar pasjes, sprongetjes, rek- en strek-oefeningen keurig af. Ze was zo geconcentreerd bezig dat ze niet doorhad dat meneer Verkerk naast haar stond.

'Fijn dat je er weer bent, Sanne,' zei hij vriendelijk.

Ze keek glimlachend op. Meneer Verkerk kon heel streng zijn, maar op dit soort momenten was hij erg aardig.

Na de warming-up kregen ze te horen dat er over twee weken weer een wedstrijd was.

'Dan al?' riep Jennifer. 'Ik dacht dat die wedstrijd pas over een maand was.'

Meneer Verkerk schudde zijn hoofd. 'Er moet dus hard gewerkt worden. Ik zou zeggen: aan de slag!'

Sanne liep naar de brug. Ze trainde nog steeds samen met Patty, Leonie en Tamara.

Patty klom als eerste op de brug.

'Hoe was het gisteren op school?' vroeg Sanne.

'Goed,' antwoordde Leonie. 'Iedereen vond het toneelstuk erg leuk.'

'En hoe ging het met de muziek en het licht? Lukte dat in je eentje?'

Leonie knikte. 'Aan het licht hoefde ik niets te doen, want de lampen waren stuk. En de muziek was een makkie. Af en toe een knop indrukken, dat was alles.'

'Dan was je vast blij dat ik er niet was,' reageerde Sanne grijnzend. 'Anders had je nóg minder te doen gehad.'

Leonie schudde haar hoofd. 'Ik heb me kapot verveeld bij die cd-speler. Samen hadden we tenminste nog een beetje kunnen lachen.' Ze stond op. 'Ik ga maar eens wat doen.'

Patty ging naast Sanne zitten. 'Heb je m'n oefening gezien?'

'Eh... Eerlijk gezegd niet.'

'O, jammer! Ik deed m'n nieuwe ondersprong.'

'De volgende keer zal ik kijken,' beloofde Sanne.

Patty keek haar vriendin onderzoekend aan. 'Nog even over gisteren... Je moet me wel een keer het hele verhaal vertellen, hoor.'

Sanne knikte. 'Dat doe ik heus nog wel. Maar nu niet, want het gaat de rest geen m...'

'Moet je kijken!' onderbrak Patty haar. Ze wees naar de andere kant van de zaal.

Ze keken allebei naar juf Gerrie, die met een grote tas in haar handen stond.

'Ze heeft een weekendtas bij zich,' zei Sanne. 'Drie keer raden bij wie ze gaat logeren.'

Patty grinnikte. 'Vast niet bij een van onze gastgezinnen.'

Sanne en Patty zwaaiden naar haar, maar hun vroegere turnjuf had niets in de gaten.

'Juf!' riep Patty hard.

Verschrikt keek Sanne opzij. Door de zaal roepen was beslist niet toegestaan.

Meneer Verkerk liep meteen hun kant uit.

'Juf Gerrie is er,' zei Patty tegen de hoofdtrainer. 'Kijk maar, ze staat bij de deur.'

Toen hij haar zag, veranderde zijn blik onmiddellijk. Zonder verder iets te zeggen, liep hij naar haar toe.

'Daar ben je goed van afgekomen,' merkte Sanne op. 'Ik dacht dat hij ging preken.'

'Dat dacht ik ook. Maar toen hij juf Gerrie zag, was hij ons meteen vergeten. Zag je die lach op zijn gezicht?'

'Ja, een gelukzalige glimlach.'

Grinnikend gaf Patty haar een duwtje. 'Jij bent! Leonie is klaar, zo te zien.'

Met een grijns om haar mond begon Sanne aan haar oefening. Maar toen ze eenmaal bezig was, vergat ze alles om zich heen. Haar aandacht was alleen nog maar bij de brug.

Na de training vlogen Sanne en Patty op juf Gerrie af.

'Jullie zijn vooruitgegaan, zeg,' zei hun vroegere turnjuf bij wijze van begroeting.

Om de beurt vertelden ze hoe hun nieuwe oefeningen eruitzagen.

'Mist u ons nog een beetje?' wilde Patty weten.

'Tuurlijk,' antwoordde juf Gerrie met een knipoog. 'Het is een stuk minder gezellig.'

Sanne wees naar de grote tas. 'U blijft zeker hier dit weekend.'

'Ja, ik logeer bij Johan. Eh... ik bedoel bij meneer Verkerk.'

'O, leuk,' reageerde Patty. 'Hebben jullie nou een eh... een eh...'

'Of we een relatie hebben, bedoel je?'

Patty knikte.

'Ja, we hebben een relatie. En zal ik jullie een geheimpje vertellen?' Ze boog haar hoofd een stukje naar voren. 'Volgend jaar gaan we trouwen.'

Verrast keken ze haar aan.

'Super!' riep Sanne.

'Gefeliciteerd, juf!' Patty schudde haar de hand, gevolgd door Sanne.

Juf Gerrie straalde. 'Ik verheug me er enorm op.'

Patty stootte Sanne aan. 'Je ouders komen eraan!'

Even later werd Sanne stevig omhelsd.

'We zijn blij je weer te zien,' zei haar moeder. 'Kind, wat hebt je ons laten schrikken!'

Juf Gerrie keek verbaasd toe.

'Sanne is vorige week weggelopen,' fluisterde Patty haar toe.

De turnjuf trok haar wenkbrauwen op.

'We moeten gaan,' zei Sannes vader. 'Meneer Verkerk wacht op ons.' Hij draaide zich om naar zijn dochter. 'Vermaken jullie je nog even? Ik denk dat het gesprek een halfuurtje duurt.'

Nadat haar ouders waren vertrokken, vertelde Sanne aan Patty en juf Gerrie wat ze allemaal had meegemaakt.

'En hoe moet het nu verder?' vroeg Patty.

Sanne haalde haar schouders op. 'Dat weet ik niet. Voor de training hebben m'n ouders met meneer en mevrouw Berendse gepraat.'

'Het komt vast wel weer goed,' sprak juf Gerrie haar moed in.

Ze kletsten nog een poosje verder, vooral over de turntrainingen.

'We hebben al een hoop nieuwe dingen geleerd,' zei Patty trots.

Op dat moment liepen Sannes ouders de kamer van meneer Verkerk uit.

'Komen jullie mee?' riep de vader van Sanne.

'Succes, Sanne,' zei juf Gerrie. 'Hou je taai!'

'Wat hebben jullie allemaal over mij gezegd?' vroeg Sanne even later.

Haar moeder lachte. 'Daar hebben we het thuis nog wel over. Eerst gaan we ergens wat eten. Wat dachten jullie van een pannenkoek?'

'Een supergoed idee!' meende Patty.

'En ik lust er wel twee!' rijmde Sanne.

12

De rode koffer

Voor de vierde keer liep Sanne naar het raam. Waarom was Jordi zo laat? Ze hadden om drie uur afgesproken, maar hij was er nog steeds niet. Vanochtend hadden ze elkaar al gezien. Samen met Marieke, Jessie en Lars waren ze naar het park geweest. Eerst hadden ze een poosje in de hut gezeten. Maar het was veel te koud geweest om lang stil te zitten. Jessie had toen voorgesteld om naar haar huis te lopen. In haar kamer waren ze dicht tegen de verwarming aan gekropen. De vader van Jessie had warme chocolademelk naar boven gebracht. Hij was met gejuich begroet.

Ineens zag ze Jordi voor de deur, die op het punt stond om aan te bellen.

Ze tikte hard op het raam.

Hij keek omhoog en zwaaide naar haar.

Sanne rende de trap af om de deur voor hem te openen. 'Hoi! Wat ben je laat, zeg.'

'Ja, sorry. Ik was nog even met een computerspelletje bezig.'

'En mij een kwartier laten wachten... Nou, je wordt bedankt!' Ze wierp hem een boze blik toe en liep met grote stappen naar boven.

Boven aan de trap legde Jordi zijn arm om haar schouder. 'Kan ik het nog goedmaken?'

Ze draaide zich om. Haar gezicht was vlak bij het zijne.

'Nee! Als je een computerspelletje belangrijker vindt dan mij, dan, eh... dan...'

Jordi grinnikte. 'Je begint ervan te stotteren.'

Ze rukte zich los. 'Doe niet zo irritant!' beet ze hem toe, en ze liep de trap af.

'Wat ga je doen?'

'Drinken halen.'

'Lekker! Neem je voor mij een cola mee?'

'Nee, ik haal alleen voor mezelf.'

Grinnikend keek Jordi haar na. Hij wist dat ze dat toch niet zou doen.

Even later kwam ze met twee glazen weer naar boven.

'Je bent een schat,' zei Jordi.

Sanne probeerde boos te kijken, maar dat mislukte. Langzaam kwam er een grijns op haar gezicht.

'Hoera, ze lacht weer!'

Ze dronken allebei hun glas leeg.

'Heb je eigenlijk nog met je ouders gepraat?' wilde Jordi weten.

'Ja, gisteravond. Best wel lang, ik geloof wel twee uur.'

'O, en wat zeiden ze?'

'Ze zeiden dat iedereen er erg van geschrokken was. Vooral Nathalie, die zich ontzettend schuldig voelt. Mijn gastouders willen graag dat ik terugkom.'

'Ga je dat doen?'

'Ja,' antwoordde Sanne. 'Tot de kerstvakantie blijf ik bij de familie Berendse. Dat is nog maar twee weken.'

'En na de vakantie?'

'Dat weet ik nog niet. In de kerstvakantie moet ik een besluit nemen. Als ik stop, dan kom ik weer bij jou in de klas. Als ik doorga, dan moet ik na de kerstvakantie weer naar een gastgezin.'

'Ga je dan weer naar de familie Berendse?' vroeg Jordi.

'Dat ligt eraan. Als het de komende weken niet goed gaat, dan zoeken ze een ander gezin voor me. Meneer Verkerk gaat mijn ouders daarbij helpen. Hij wil heel graag dat ik in zijn ploeg blijf.'

'Dan zien we elkaar pas weer in de kerstvakantie.'

Sanne keek hem verbaasd aan. 'Hoezo?'

'Volgende week ben ik weg met de voetbalclub. We hebben een trainingsweekend.'

'O, jammer!'

'Ja, maar in de kerstvakantie kunnen we elkaar lekker vaak zien.'

De rest van de tijd kletsten ze over van alles en nog wat.

Om vijf uur stond Jordi op. 'Ik moet nu écht naar huis.' Hij stak zijn hand uit en trok Sanne overeind.

Ze stonden heel dicht bij elkaar.

Sannes hart begon sneller te kloppen.

Jordi trok haar naar zich toe. 'Ik zal je missen.'

'Ik jou ook.'

Ze keken elkaar zwijgend aan.

Sanne legde haar hoofd tegen zijn schouder. 'Je bent lief,' fluisterde ze in zijn oor. Haar lippen raakten vluchtig zijn rechterwang.

'Jij ook,' zei Jordi zachtjes. 'Héél lief zelfs.'

Sanne keek hem diep in zijn ogen. Ze boog zich wat naar voren, en Jordi deed hetzelfde. De kus die volgde was langer dan de vorige keer...

De auto minderde vaart. Ze reden de straat van de familie Berendse in.

Sanne zuchtte nog eens diep. Hoe zouden haar gastouders reageren? En hoe zou Nathalie zich gedragen?

Sanne stapte uit de auto. Ze keek naar het huis van de familie Berendse, maar er was nog niemand te zien. Ineens hoorde ze getik; eerst zacht, maar al snel harder. Zoekend keek ze om zich heen.

Nathalie opende het raam van haar slaapkamer. 'Hé, Sanne!' riep ze naar beneden. 'Leuk dat je er weer bent!'

Sanne keek naar boven, en ze glimlachte opgelucht.

In de deuropening verscheen mevrouw Berendse. 'Kijk eens wie we daar hebben,' zei ze hartelijk. Ze liep naar Sanne en gaf haar drie zoenen. 'Ik ben blij je weer te zien! Kom maar snel binnen, want mijn man wil je ook graag begroeten.'

Sanne liep achter mevrouw Berendse aan, gevolgd door haar ouders.

Niet veel later zaten ze gezellig bij de open haard. Ook Nathalie was er dit keer bij. Net als Sanne had ze een beker chocolademelk voor zich staan.

Sanne was blij dat er niet over haar werd gepraat. Er werd gesproken over allerlei ingewikkelde onderwerpen.

Nathalie stootte Sanne aan. 'Vind jij het ook zo interessant?'

Sanne grijnsde. 'Ja, enorm!'

'Zullen we naar mijn kamer gaan? Dan kunnen we een beetje muziek luisteren of zo.'

'Goed plan,' antwoordde Sanne, en ze stond meteen op.

'Wij gaan naar boven,' lichtte Nathalie toe, terwijl ze naar de deur liep. 'Dan kunnen jullie tenminste ongestoord verder kletsen.'

'Prima,' reageerde haar vader glimlachend. 'Veel plezier!'

In Nathalies kamer bekeken ze de stapel cd's.

'Zullen we deze draaien?' stelde Nathalie voor. 'Die heb ik nog maar twee weken.'

'Is goed. Echt supergoede cd's heb jij!'

'Je mag ze best wel eens lenen, hoor. Jij hebt toch ook een cd-speler op je kamer?'

Sanne knikte. 'Ik heb er zelf maar een paar, dus dat zou wel fijn zijn.'

Terwijl ze naar de muziek luisterden, kletsten ze over muziek, uitgaan en jongens.

Nathalie stelde allerlei vragen over Jordi.

'En hoe zit het met jou?' wilde Sanne weten. 'Heb jij op dit moment een vriendje?'

Nathalie begon geheimzinnig te lachen. 'Nog niet, maar ik heb wel iemand op het oog.'

'O, leuk! Zit hij bij jou op school?'

'Nee, maar ik zie hem vaak na schooltijd.'

'In het winkelcentrum, zeker,' flapte Sanne eruit.

Nathalie keek haar verbaasd aan. 'Hoe weet je dat?'

Sanne kreeg een kleur. 'Ik, eh... ik heb je daar een keer zien staan.'

'Wat deed jij daar dan?'

Sanne vertelde kort hoe ze in het winkelcentrum was beland.

Nathalie floot tussen haar tanden. 'Nou nou, gedurfd van jullie, zeg! Ik begon pas te spijbelen toen ik op de middelbare school zat. Dan heb je me zeker ook zien roken in het winkelcentrum.'

'Ja, maar dat heb ik heus niet aan je ouders verteld.'

'Dat is aardig van je. Ik ben er trouwens mee gestopt. Eigenlijk vond ik het hartstikke goor, maar ik deed het alleen omdat de anderen het ook deden.'

Sanne grinnikte.

'Wij moeten ook eens samen gaan winkelen,' stelde Nathalie voor. 'Dat lijkt me wel gezellig.'

Beneden hoorden ze stemmen.

'Ik denk dat je ouders weggaan,' zei Nathalie.

Sanne liep de gang in.

'We gaan ervandoor,' riep haar moeder. 'Maar we komen nog wel even naar boven.'

Even later stonden ze in Sannes slaapkamer. Naast het bureau stond de rode koffer, die door mevrouw Haanstra was teruggebracht.

Sannes moeder liep ernaartoe en maakte hem open. 'Gelukkig, hij is al leeg,' zei ze. 'Waarschijnlijk heeft mevrouw Berendse hem al uitgepakt.'

Sanne beet op haar lip. Ze vond het helemaal niet prettig om die koffer te zien. Het herinnerde haar aan die verschrikkelijke avond.

'Zullen we die koffer maar meenemen?' stelde haar vader voor.

Sanne stemde gretig toe. 'Ik hoef dat ding nooit meer te zien!' Daarna omhelsde ze haar ouders.

'Hou je taai, Sanne,' zei haar moeder. 'Gaat het deze week lukken, denk je?'

Sanne knikte. 'Morgenochtend lekker turnen, daar heb ik wel weer zin in! We moeten hard trainen, want over twee weken is er weer een belangrijke wedstrijd. Komen jullie dan kijken?'

'Tuurlijk!' beloofde haar vader. 'En daarna begint de kerstvakantie. Je hebt dan genoeg tijd om leuke dingen te doen.'

'Ja,' zei Sanne. 'Maar ook om te bedenken of ik door wil gaan met topturnen.'

'Klopt,' zei haar moeder, en ze pakte de rode koffer. 'Nu moeten we echt gaan. Loop je met ons mee naar beneden?'

Gedrieën liepen ze de trap af.

Toen haar vader de koffer in de auto legde, moest Sanne wel even slikken. 'Dag!' riep ze naar haar ouders. 'Tot zaterdag!' Ze zwaaide tot de auto de hoek om was verdwenen. Daarna bleef ze in de deuropening staan, alsof ze wachtte tot de auto terugkwam.

'Zullen we nog wat drinken?' hoorde ze ineens achter zich.

Verrast draaide ze zich om.

Nathalie pakte haar bij de arm. 'Kom, dan halen we wat uit de koelkast.'

Gewillig liet Sanne zich meetrekken.

'Vanaf nu laat ik je niet meer los,' zei Nathalie grijnzend. 'Dan kun je er ook niet meer vandoor gaan.'

Sanne lachte. Ze wist het ineens héél zeker: de weken tot de kerstvakantie zouden heel gezellig worden!

Lees ook:
Sanne turnt zich naar de top

Sanne is gek op turnen. Samen met haar beste vriendin Marieke traint ze een paar keer per week in de selectiegroep. Haar ouders vragen zich af of ze niet te veel turnt, maar Sanne wil niets liever.

Volgens haar turnjuf is er een mooie toekomst voor haar weggelegd. Daar is niet iedereen even blij mee: Bianca is eigenlijk stikjaloers en Jordi vindt het jammer dat zijn buurmeisje steeds minder tijd voor hem heeft.

Ondertussen maakt iedereen zich op voor de grote demonstratie. Maar dan gebeurt er een ongeluk in de turnzaal...

ISBN 90 261 1935 6

Sanne gaat voor goud

Sanne en Marieke zijn vriendinnen en ze houden allebei erg van turnen. Na schooltijd zijn ze veel in de turnzaal te vinden, zeker nu er een belangrijke wedstrijd voor de deur staat. Sanne krijgt van de zenuwen geen hap meer door haar keel.

Helaas zijn de turntoestellen van hun vereniging oud en nodig aan vervanging toe. Na hun protestmars heeft de gemeente beloofd voor nieuwe te zorgen. Maar er is geen geld om een van de mooiste toestellen, de Pegases, aan te schaffen. Daarom organiseert Sanne met haar vriendinnen en haar buurjongen Jordi, op wie ze stiekem verliefd is, een braderie. De opbrengst is voor de aankoop van een Pegases, maar het loopt heel anders dan verwacht...

ISBN 90 261 3067 8

Sanne steelt de show

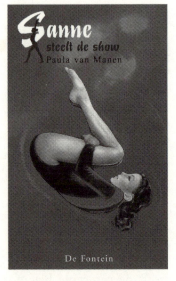

Sanne bezoekt met haar turnvriendinnen Patty en Jennifer het jaarlijkse gym-gala. Haar beste vriendin Marieke voelt zich buitengesloten, want zij is niet meegevraagd. Tot Sannes verdriet trekt Marieke steeds meer met Jessie op. Ook Jordi bezorgt haar slapeloze nachten. Ze is al tijden verliefd op hem, maar is hij ook op haar? Nu ze zo veel traint, heeft ze minder tijd om samen leuke dingen te doen. En wat doet Evelien steeds in zijn buurt?
Sanne stort zich intussen met haar turnvriendinnen op de organisatie van een jubileumfeest. Hun turnjuf is 25 jaar bij de vereniging! Maar wie had gedacht dat het uitzoeken van een cadeau zo veel problemen zou opleveren?

ISBN 90 261 3100 3